# 新世紀

第 327 号（2023年11月）

*The Communist*



帝国主義打倒！

スターリン主義打倒！

万国の労働者団結せよ！

2023年11月　No.327　目次

# 新世紀

日本革命的共産主義者同盟 革命的マルクス主義派 機関誌

# 米日韓核軍事同盟の強化反対!

## アジア太平洋版NATOの構築を許すな

二〇二三年八月十八日にアメリカのキャンプ・デービッド山荘で開催した首脳会談において、アメリカ大統領バイデンおよび日本の首相・岸田文雄、韓国大統領・尹錫悦は、「日米同盟と米韓同盟のあいだの戦略的連携を強化し、日米韓の安全保障協力を新たな高みへと引き上げる」(共同声明「キャンプ・デービッドの精神」)などとうたいあげた。それは、核戦力強化を猛然とおしすすめている習近平中国および北朝鮮との激突に備えて、米・日・韓が共同してグローバル核軍事同盟を構築・強化し戦争準備をおしすすめることの宣言にほかならない。

この策動にたいして、中国の習近平政権は、「〈米日韓の行為は〉排他的なミニグループをつくり、陣営対抗的な軍事集団をアジア太平洋にもちこむ試み」であると断じ、軍事的対抗を一挙に強化している。この中国と結託しているプーチンのロシアは、アメリカ帝国主義による「NATOの東方拡大」への怨念を募らせ、「大ロシア主義」にもとづくウクライナへの軍事侵略を強行している。この〈プーチンの戦争〉を発火点として東アジアにおいても熱核戦争勃発の危機は一段と高まっている。

米・日・韓と中国・ロシア・北朝鮮の軍事的角逐の激化によって、いまや東アジアは戦争前夜というべき危機に覆われつつある。

今こそわれわれは、米―中・露激突下の戦争勃発の危機を突き破る革命的反戦闘争の炎を赤あかと燃えあがらせるのでなければならない。わが全学連の学生たちは、米日韓の権力者どもが首脳会談を開催しようとしていた八月十八日、首都・東京のアメリカ大使館にたいして怒りの声を断固として叩きつけた。日共中央をはじめとする既成指導部が闘争放棄をきめこむなかで唯一、わが全学連は対アメリカ大使館闘争に決起したのである。

すべてのたたかう労働者・学生は、ウクライナ反戦の闘いと同時に、〈米日韓核軍事同盟の強化反対・米―中露核戦力強化競争反対〉を焦眉の課題とする反戦反安保闘争を、岸田政権の改憲・大軍拡阻止の闘いを全力でおしすすめるのでなければならない。

## 米日韓首脳会談――中国主敵の環太平洋多国間軍事同盟の構築

（1）米日韓首脳会談において、バイデンは、「戦略的競争相手」と烙印した中国を封じこめるための多国間軍事同盟を、日本および韓国をしたがえて構築・強化する意志を鮮明にした。それは、朝鮮半島有事のみならず東アジア全域における中国との激突に備えて共同作戦体制を飛躍的に強化する意志を米日韓権力者が宣明したことを意味する。首脳会談において彼らは、みずからを「インド太平洋国家」であると宣言し、「〔中国の〕力または威圧によるいかなる一方的な現状変更の試みにも強く反対する」こと、加えて「台湾海峡の平和と安定の重要性」や南シナ海における「中国による不法な海洋権益に関する主張」に「反対」することを共通の意志として明示した。

明らかにバイデン政権は、台湾周辺および西太平洋において海・空軍の大規模演習をくりかえしている習近平の中国、ＩＣＢＭや巡航ミサイルの実戦配備を猛然と進めている金正恩の北朝鮮、これら〝敵〟とみなした諸国家に対抗して、日韓両国を抱きこんでアジア太平洋地域における対中国・対北朝鮮の軍事包囲網の構築を急いでいるのである。

（2）バイデン政権は、中国・北朝鮮の対米挑戦をまえにして、日本および韓国にたいするアメリカの「拡大抑止（核の傘）のコミットメント（約束）」を公言した。それは、対北朝鮮・対中国・対ロシアの核恫喝にほかならず、アジア太平洋地域における核軍事体制の飛躍的強化の宣言なのだ。バイデンは、岸田や尹錫悦とのあいだで、中国・北朝鮮の軍事的動向をば米日韓の「共通の利益および安全保障」への「挑戦」「脅威」と烙印し、「有事」にさいして米日韓三国が共同作戦を遂行するために「相互に迅速な形で協議する」との「コミットメント」をもとり交わした。米・日・韓の諸国家は、共通の敵たる中国・北朝鮮の軍事的策動を撃破するために、核戦力の使用をも含む集団的自衛権の行使にふみきることを明確に合意したのである。

バイデン政権が米日韓共同の核軍事体制の構築・強化を急いでいるのは、緊迫化する現代世界のなかで没落帝国主義アメリカの生き残りをはかるためなのだ。二〇二二年二月にプーチン・ロシアが開始したウクライナ侵略戦争は、〈米―中・露の激突〉という二〇二〇年代世界の構造に孕まれていた戦争勃発の危機を、一挙に顕在化させ深刻なものへとおしあげた。ウクライナ侵略を強行したロシアは、西側・ＮＡＴＯ諸国にたいする核恫喝をくりかえしている。このロシアに全面的にバックアップされた金正恩の北朝鮮は、韓国や日本の米軍基地を標的とした核攻撃体制の構築に狂奔している。しかも、二〇三五年までに一五〇〇発の核ミサイルを保有することを公言している習近平の中国が、対米核戦力の増強配備に血道をあげている。

こうした状況のもとで、バイデン政権は、中国・ロシア・北朝鮮を抑えこむために、「拡大抑止」という名の核戦力の増強をもって対抗する姿勢をむきだしにし、金正恩政権に「核をみせる」ことをもくろむ尹錫悦政権の要求にこたえるかたちをとって、「米韓核協議グループ」の創設を決定した（四月の米韓首脳会談）。さらに、核ミサイル搭載可能な戦略原潜ケンタッキーの釜山港への寄港、朝鮮半島および日本列島に核戦力を備えた米軍の増配備を急いでいるのだ。

いまや世界の「覇権」を奪取せんとしている中国が、台湾併呑を策して軍事的威嚇を強めていることにたいして、落日の帝国主義アメリカは独力でこの中国を封じこめる力を喪失している。このゆえにアメリカ権力者は、「統合抑止」戦略にもとづいて、同盟国たる日・韓の軍事・経済・技術の全領域にわたる力を総動員しようとしているのだ。アメリカ帝国主義の権力者は、たとえ韓国の文在寅前政権のように〝対北朝鮮宥和〟政策をとる部分が政権を担ったとしても、あくまでも核軍事同盟の鎖で縛りつけることを策している。「米日韓協力の『制度化』」、年に一度の三ヵ国首脳会談の定例化、外務・防衛・商業産業・財務などの担当相会談の定期開催など、三ヵ国の「連絡メカニズム」なるものを重層的に構築することを日・韓権力者に押しこんだのは、そうした意図にもとづくのである。

そして、このバイデン政権の要求に応えて日・韓両国家は、安保条約のような軍事条約を締結することもないままに、いまや日・韓両国間の事実上の軍事同盟を構築したのだ。

（3）バイデン政権は、軍事的安全保障のみならず経済安全保障・技術開発分野でも三国の「強固な協力」を確認した。バイデン政権はとりわけ半導体・蓄電池や重要鉱物などの「グローバル・サプライチェーン」を、中国を排除し締めあげるかたちで構築していく策動に日韓両国が参画するように迫っている。最先端半導体の生産で台湾のＴＳＭＣに次ぐ量産能力もつサムスン電子やＳＫハイニックスなどを擁する韓国を、バイデン政権は対中国の半導体包囲網＝「Ｃｈｉｐ４」にまきこんできた。

今回の首脳会談で米・日・韓の権力者が合意した「経済安保」協力体制の強化策は、軍民両用の高度技術の分野における中国との覇権争奪戦が熾烈化し、「戦略技術・物資」をめぐる囲い込み競争が激化しているという現局面において、帝国主義国家として生き残るためには対内・対外の経済政策をたんに「経済成長」の観点からだけではなく「国家安全保障」の観点から位置づけ練り直さなければならないという、権力者なりの切迫した危機感に発している。

「軍民融合」を推進している中国が政府の強力な統制をテコとしてＡＩやサイバー・量子技術を駆使した兵器開発に突進しているもとで、この追求を打ち砕くことこそが、バイデン政権の「安全保障」上の核心的眼目にほかならない。ウクライナへの軍事侵略を強行したプーチンのロシアは、いま米欧の半導体などのハイテク部品の禁輸によって、〝半導体の塊〟ともいうべき精密誘導ミサイルや新たな戦車を量産できないという〝継戦能力〟の枯渇に見舞われている。この〝半導体封鎖〟の破壊的効果をみてとったバイデン政権はいま、習近平中国にたいして先端半導体の供給を断ちきり締めあげるという強硬策をとっているのだ。

現時点においては、インテルやクアルコムというアメリカ半導体メーカーのほとんどが、その製造を台湾のＴＳＭＣや韓国のサムスン電子やＳＫなどのファウンドリー（受託生産）企業に依存しているのであって、それゆえにバイデン政権はこれらの企業に対中輸出規制に従うことを求めてきた。だが、こうしたアメリカによる先端半導体の対中輸出規制要求にたいして、中国に多くの生産拠点をおく韓国の半導体メーカーから反発が噴きあがった。これをまえにして、バイデン政権は昨秋いらい、対中輸出規制導入を一年間猶予する措置をとってきたのであるが、今年十月に期限を迎えるこの猶予措置をさらに延長したのだ。おそらくバイデン政権は、尹錫悦政権にたいするこうした譲歩とひきかえに、東アジア有事に迅速に対処する米日韓同盟の「制度化」という軍事的協力の強化という要求をのませたのであろう。

## アメリカの軍事要求に全面的に応えた日・韓

アジア太平洋地域における対中国・対北朝鮮のＮＡＴＯ型の多国間軍事同盟を構築せんとしているバイデン政権、この要求を渡りに船として岸田政権は、日本を軍事強国へとおしあげる道を驀進している。この政権は、三国の対北朝鮮・対中国の即応体制の構築を「抑止力・対処力の強化」であるとバイデンに唱和した。「専守防衛」の建て前をもかなぐり捨てトマホークやＪＡＳＳＭ（長射程空対地ミサイル）導入などの米日共同の先制攻撃体制の構築につきすすんでいる。そのために、来年度予算に七兆円をはるかに超える莫大な軍事費を計上することを決定した。在日米軍再編経費など、金額を明示しない「事項要求」を含めるならば、軍事費は実に八兆円超となるというのだ。

韓国の尹錫悦政権は、ロシアの全面的バックアップをうけて核・ミサイル開発を加速させている北朝鮮に対抗するために、アメリカ主導の核軍事同盟に参画する道をつきすすんでいる。そのためにこの政権は、日本軍国主義のかつての朝鮮半島侵略・植民地支配にまつわる「元徴用工問題」に「未来志向」の名において政治的決着を図ろうとしている。「反共産主義」を標榜するこの尹錫悦政権は、北朝鮮に対抗するための米日韓核軍事同盟を強化し、もって韓国を「グローバル中枢国家」に飛躍させる野望をたぎらせている。

これにたいして、日本軍国主義による朝鮮人民の強制連行・強制労働という国家犯罪にたいする怒りを燃えたぎらせている韓国の労働者・人民が、対政府闘争に起ちあがっている。これを背景として、議会の過半数を占める「共に民主党」は、「元徴用工問題」の岸田政権による居直り・正当化策動と尹錫悦政権の対日協調姿勢にたいする追及を強めている。そして、日本の福島第一原発の放射能汚染水の海洋放出にたいして容認姿勢をとる韓国政府への批判が高まっている。

この政治的窮地をのりきるために尹錫悦政権は、「在日米軍が『後方基地』として北朝鮮の南侵への最大の抑止要因となっている」(8・15光復節演説)などと称して、「反北朝鮮」の排外主義的イデオロギーを鼓吹し、この人民の闘いを強権的に弾圧しているのだ。

この日・韓両国を「属国」として従えたバイデン政権は、この米日韓軍事同盟を同時に米英豪軍事同盟AUKUSと結びつけ、さらにフィリピンなどASEAN諸国を中国を主敵とした「同志国」として抱きこみ、もってアジア太平洋版NATOを構築しようとしている。このアジア太平洋版NATOとNATOを連結するために、バイデン政権は、七月のNATO首脳会談には日本・韓国・オーストラリア・ニュージーランドを招いた。この四ヵ国とNATOとの「国別適合パートナーシップ計画(ITP)」を締結したのだ。

## 対米反攻に血道をあげる中国と北朝鮮

米・日・韓の権力者が、「台湾海峡の平和と安定の重要性」の名のもとに台湾近海をも含む東アジア全域において三軍共同演習を毎年実施することをぶちあげたこと、これにたいしてネオ・スターリン主義中国の習近平政権は、「中国の内政に粗暴に干渉した」などという猛然たる非難を噴きあげ対抗措置にうってでる意志をむきだしにしている。

現に米日韓首脳会談の直後から中国軍は、事実上の中台境界線となってきた「中間線」を越えて台湾周辺や朝鮮半島近海での軍事演習をかつてないハイペースでくりかえしている。八月十九日には、海空軍が台湾周辺で合同演習をおこない二十六機の中国軍機が中間線を越えて台湾側に侵入した。〔八月二十一～二十五日には朝鮮半島付近の渤海で、二十二日には東シナ海で海軍が実弾演習を強行した。〕

習近平政権は、日韓両権力者にたいして「日韓はアメリカの覇権の手先となるべきではない」などと称して政治的・軍事的圧力を強化している。中国軍がロシア軍と共同して、日本海からベーリング海・太平洋・東シナ海にいたる海域で「パトロール行動」と称する威嚇的軍事行動を展開したことは、そのあらわれにほかならない。

さらに、日本の岸田政権が東電福島第一原発の放射能汚染水の海洋放出を強行した八月二十四日、中国政府は日本からの水産物の輸入を全面的に停止する措置をうちだした。習近平政権は、アメリカが主導する米日韓核軍事同盟の強化に岸田政権が積極的に加担していること、ならびにバイデン政権との腹合わせのもとに先端半導体技術の対中輸出規制を開始したことへの報復の意図をこめて、こうした対日経済制裁にうってでているのだ。

米日韓による対北朝鮮先制攻撃体制の強化をまえにして焦りを募らせている北朝鮮の金正恩政権は、ICBMや短距離弾道ミサイルや巡航ミサイル、さらには戦術核搭載の潜水艦などの核ミサイル開発に狂奔している。この政権は、ロシアのウクライナ侵略を横目で見ながら、対米戦争に備え強大な核保有国にのしあがる策動を強化している。

ウクライナへの軍事侵略を強行したプーチンのロシアは、「ロシア領土が攻撃を受ければ戦術核兵器によって報復する」という恫喝をウクライナおよび西側諸国にかけている。この戦争狂は、核搭載可能な極超音速ミサイルをすでに実戦で使用しており、「使える核」と称する戦術核弾頭をベラルーシを含む対NATO諸国の前線に配備した。

このプーチンの策動を眼前にして、核兵器を保有することが国家の生き残りの道であるという妄念にとりつかれているのが金正恩なのだ。

いまやネオ・スターリン主義中国による政治・軍

事・経済のあらゆる部面におけるキャッチアップに怯えながら「専制主義にたいする民主主義の戦い」を旗印として中国・ロシアへの対抗に血眼となっているバイデンのアメリカ。これにたいして習近平の中国は、今世紀半ばまでに「社会主義現代化強国」実現の野望をたぎらせ、武力による「台湾併呑」を念頭においた準備をおしすすめるとともに、「グローバル・サウス」の諸国をみずからの勢力圏に組みこむ策動を強化している。

そして、この中国との同盟的結託を基礎としてプーチンのロシアは、ＢＲＩＣＳの拡大（サウジアラビア、イラン、アラブ首長国連邦、エジプト、エチオピア、アルゼンチンの新規加盟）によって、みずからの国際的孤立化の打開をはかろうとしているのだ。六月にプーチンの足もとで惹起した「ワグネルの反乱」。そこに象徴されたのは、プーチンを表看板とするＦＳＢ強権型支配体制の深刻な亀裂と動揺にほかならない。このの りきりをもかけて、「大国ロシアの復活」というナショナリズムを煽りたてながら対米対抗的な核戦力強化にうってでているのがプーチンのロシアなのだ。

## 日米グローバル同盟の強化反対！改憲・大軍拡阻止！

ロシアのウクライナ侵略を発火点として米―中・露の激突が一段と熾烈化するただなかにおいて、岸田政権はいま、「台湾有事」に備えて日米共同の戦争遂行体制を構築する策動を加速している。この政権は、与那国島への自衛隊艦船が接岸できる新たな港湾の整備や宮古空港の滑走路延長など、南西諸島や九州・四国地方を中心に、自衛隊部隊や物資の輸送拠点となる公共インフラを早急に整備する計画を策定し発表した。さらに政府は、殺傷能力のある武器を搭載した艦船や国際共同開発した戦闘機を第三国に輸出することができるように、「防衛装備移転三原則」の運用指針見直しに着手している。

まさに岸田日本型ネオ・ファシズム政権は、台湾統一のためには武力行使をも辞さない構えをとっている習近平・中国との軍事的衝突をも想定し、日本を「戦争をやれる国」へと改造することに血道をあげている。そのためにこそ、「戦力不保持・交戦権否認」をうたった現行憲法第九条の破棄と、首相に「非常大権」を付与する緊急事態条項の新設、これらを核心とする憲法大改悪の攻撃にうってでようとしているのだ。今秋の臨時国会において改憲案発議にむけた憲法審査会での審議を加速しようとしているのである。

すべての労働者・学生諸君！　米日韓核軍事同盟を飛躍的に強化する策動をわれわれは断じて許してはならない。日米軍事同盟強化・日本の軍事強国化・改憲に突進する岸田極反動政権にたいして、われわれは今こそ反戦反安保闘争の一大高揚をもって反撃にうってでるのでなければならない。いっさいの大衆的反撃の闘いを組織化することを放棄し、ただただ「平和外交」の代案を政府に対置するにすぎない日共中央をのりこえたたかおう！　日共中央は、米日韓首脳会談の翌日(八月十九日)になって、志位和夫の「談話」なるものを発表した。その内実は、米日韓の権力者どもにたいして、「インド太平洋地域にブロックによる分断を強め、東アジアにおいて軍事対軍事の悪循環を一層加速させる」などと非難し、「地域のすべての国を包摂する安全保障の枠組みを推進すること」を提言するというものである。だが、こんにちの東アジアにおいて、対中・対北の軍事同盟を強化する米日韓権力者と対米対日の核戦力強化に血道をあげている中国・北朝鮮権力者との軍事的角逐に反対する大衆闘争の組織化を放棄したうえで、「現実的」と称する「平和外交」への転換を権力者にお願いすることによっては、現に高まる戦争勃発の危機を突き破る力を創造することは断じてできないのだ。

すべての労働者・学生諸君！　米日韓核軍事同盟の強化反対の反戦反安保闘争を断固としておしすすめよ！　米日共同の先制攻撃体制の構築を許すな！　岸田政権の軍拡・改憲攻撃を打ち砕け！　台湾併呑を企む中国の威嚇的軍事行動反対！　〈米・日・韓―中・露・北朝鮮〉激突下の熱核戦争勃発の危機を突き破る革命的反戦闘争の怒濤の前進をかちとれ！

# 8・6国際反戦集会の大高揚かちとる
## 〈プーチンの戦争〉を打ち砕け！ 米—中・露激突下の熱核戦争の危機を突き破れ！

二〇二三年八月六日、全学連・反戦青年委員会と革マル派は、第六十一回国際反戦集会を全国六ヵ所において開催した（沖縄集会は台風により延期）。東京・銀座ブロッサムでの中央集会に結集した労働者・学生・市民は、本集会の大成功をかちとった。

プーチンのロシアがウクライナへの軍事侵略を開始してから一年半、ウクライナの労働者・人民はいまウクライナ軍とともに、ロシアによるウクライナの占領・併合と人民虐殺というこの世紀の蛮行を打ち砕くために英雄的にたたかっている。このウクライナの労働者・人民と連帯して、われわれは〈プーチンの戦争〉を打ち砕く反戦闘争の炎をさらにいっそう燃えあがらせるために、総力をあげてたたかわなければならない。

ロシアのウクライナ侵略を発火点として、現代世界は米・欧・日と中・露との角逐が一挙に激化し熱核戦争勃発の危機が高まっている。たたかう労働者・学生はウクライナ反戦闘争とともに、岸田政権による日米軍事同盟強化と大軍拡・改憲の一大攻撃を打ち砕く闘いを、「連合」指導部の闘争抑圧や日共

労働者・学生が闘いの橋頭堡を築く（23年8月6日、東京）

中央の闘いの放棄を弾劾しのりこえ創造してきた。この闘いをさらに前進させるためにこそ、本集会は開催された。

七十八年前にアメリカ帝国主義権力者が広島に原爆を投下した八月六日、この日に開催された本集会において、われわれは米・欧・日―中・露激突下の熱核戦争勃発の危機を突き破る革命的反戦闘争の拠点をさらにうち固めた。そして、同時に〈プーチンの戦争〉を最後的に粉砕する闘いをおしすすめる橋頭堡を構築したのである。

## ウクライナ反戦、大軍拡・改憲阻止闘争の大爆発を！――基調報告

司会の同志が集会の開会を宣言した。集会の冒頭は、今春の全学連の奮闘を伝えるビデオ上映だ。ロシア大使館前でウクライナ侵略弾劾のシュプレヒコールを叩きつけた7・23抗議闘争がスクリーンいっぱいに映しだされる。岸田政権の大軍拡・改憲

攻撃にたいして全学連が決起した5・23、5・30、6・6、6・7、6・13、6・16の実に六波にわたる国会前抗議闘争、全国の労学統一行動での白ヘル部隊の勇姿、吹き荒れる自治破壊攻撃をくつがえすための学生大会にむけた激闘など、たたかう学生の獅子奮迅の闘いが画面にあふれでる。

今春期、各学園で闘いの組織化に活用された『解放』の新入生歓迎特集「ロシアのウクライナ侵略に反対しよう Q&A」の紙面や、ウクライナの左翼機関紙・誌に掲載された全学連のデモや集会の写真もまた画面に鮮やかに映しだされた。誰も彼もが身をのりだしてその映像に見入り、たたかう学生の奮闘に万雷の拍手を送ったのだ。

いよいよ集会実行委員会を代表して同志・西岡透が基調報告にたった。

「ウクライナの労働者・人民と軍の総反攻を前に、追いつめられたプーチン政権とロシア軍はその内部対立を激化させ、ついにFSB強権型支配体制の崩壊が始まった。今こそわれわれは、日本の地においてウクライナ侵略に反対する大衆的闘いをさらに高揚させ、かつこの闘いを全世界に波及させ、ロシアの権力者どもを労働者・人民の怒りで包囲しようではないか!」「よーし!」参加者がいっせいに呼応し、会場は一気にたたかう熱気に包まれる。

六月、みずからの私兵であるワグネルの逆襲に驚愕したプーチンは、モスクワから逃げだした。他方、「ワグネルの反乱」の動きを国家安全保障会議書記パトルシェフは事前に知っており、知らなかったのは〝裸の皇帝〟プーチンだけだといわれる。

プーチン一派とパトルシェフ一派の抗争というロシア国家権力の内部対立がいまや白日のもとにさらけだされた。『ワグネルの反乱』は、まさにプーチンを表看板とするFSB強権型支配体制の終わりの始まりを象徴する事態なのだ。」

同志・西岡は声を強くして訴えた。「わが反スターリン主義運動の創始者である黒田さんがロシアの国家支配体制をFSB強権型支配体制と規定し暴きだしてきた。この洞察の深さが鮮明になっているではないか。」「そうだ!」満場から圧倒的拍手がわきおこる。

　ロシアによるウクライナ侵略戦争を決定的区切りとして、東アジアでも台湾と朝鮮半島をめぐる軍事的緊張が一気に高まっている。「台湾併呑」を狙う中国・習近平政権は、核戦力を強化し威嚇的軍事行動をくりかえしている。朝鮮半島では、北朝鮮・金正恩政権がロシアの技術援助をえて核ミサイルの開発・配備をすすめ弾道ミサイルを連続的に発射している。

「オデーサへのミサイル攻撃弾劾！」
全学連がロシア大使館に抗議闘争（7・23）

　これに対抗して、アメリカは核ミサイルを搭載した米戦略原子力潜水艦「ケンタッキー」を韓国・釜山に入港させ米韓の核軍事同盟強化の策動を加速している。バイデン政権は、もはや一国の力では中国を抑えこむことはできないがゆえに、「統合抑止」の名のもとに同盟国を動員し対中・対露・対北朝鮮の軍事的包囲網づくりに狂奔している。

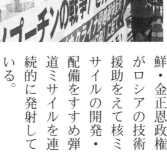

　そして、アジア太平洋版ＮＡＴＯの中核としての日米軍事同盟の強化に突進しているのが岸田政権だ。首相・岸田は、「安保三文書」でうちだした国家安全保障戦略にのっとって、軍拡財源確保法と軍需産業支援法を制定した。先制攻撃体制を構築するために、南西諸島へのトマホークや長射程ミサイルの配備に狂奔している。軍事強国化の道を突き進み、それにふさわしいネオ・ファシズム憲法を制定する策動を強めている。第九条の破棄と首相に「非常大権」を付与する緊急事態条項新設を核心とする憲法大改悪を策している。

　同志・西岡は、現代世界の様相を鋭くえぐりだし、そして力強く訴える。「ロシアのウクライナ侵略を発火点として、現代世界は、米・欧・日と中・露との角逐が一気に激化して熱核戦争勃発の危機が高まっている。この危機を突破するためにわれわれは、全世界の労働者・人民の最先頭でたたかおうではないか！」

米・日—中・露の権力者どもは、アジア太平洋やアフリカ・中南米などの「グローバルサウス」と呼ばれる経済新興国・発展途上国を政治的・経済的・軍事的支援をテコとして囲いこむための熾烈な争奪戦をくりひろげている。

ロシアのウクライナ侵略によってひきおこされたインフレやエネルギー・食糧不足に直撃され、新興諸国のみならず全世界の労働者・人民はますます奈落に突き落とされている。先進国においても貧富の格差がひろがり、世界各地で地球温暖化による異常気象が襲いかかっている。戦争難民、経済難民、環境難民が急増し、世界人口八〇億人のうち、一・一億人が難民化し、八・三億人が飢餓に直面している。この現代世界の悲惨をわれわれは突き破るのでなければならない。

同志・西岡は語気を強めて訴える。「日々深刻化する危機の深まりにもかかわらず、日本における既成反対運動は完全に瓦解している。ロシアの暴虐にたいして、これに反対する闘いを組織しているのは、わが革命的左翼を除いて皆無だ。」

「連合」芳野指導部は岸田政権の大軍拡・改憲の策動を支持し傘下労働組合の闘争を圧殺している。また「反安保」を放棄し自衛隊活用論をふりまく日共・志位指導部は、闘いを次期総選挙にむけての政策カンパニアに解消している。われわれは、「連合」労働貴族による闘争抑圧と日共指導部の平和運動の放棄を弾劾し、大軍拡・改憲攻撃反対の闘いを断固としておしすすめなければならない。同志・西岡の呼びかけに、会場の参加者は熱烈な拍手を送った。

「世界中で戦争と圧政と貧困と環境破壊によって労働者・人民が苦しんでいる。各国権力者の国家エゴイズムの相互衝突によってひきおこされていることの事態は、スターリン主義ソ連邦の崩壊と対決することができずに総転向した左翼諸党派のもとで世界各国の階級闘争が後退してしまっていることのゆえに許されているのだ。われわれ反スターリン主義革命的左翼は、ロシアのウクライナ侵略を打ち砕き、米―中・露激突のもとで高まる熱核戦争の危機を突破するために、この日本の地でさらに奮闘するとともに、労働者・人民の国境を越えた階級的団結をつくりだそうではないか！」

気魄みなぎるこの基調報告に、会場を圧する拍手が轟きわたった。すべての参加者が闘志を燃えたたせ、闘いをさらに前進させる決意をうち固めたのである。

## ウクライナ・ロシアからのメッセージに共感と連帯

休憩後の第二部冒頭に、国際反戦集会に海外から寄せられたメッセージが紹介された。そのなかから革マル派国際部の同志が次の二つのメッセージを全文読みあげ紹介した。

一つはウクライナの『コモンズ』誌編集部からのメッセージである。

「ウクライナにたいするロシアの全面侵略は、もうじき五三〇日になります。この日々をつうじてわかったことは、この反動的な帝国主義的侵略には限度というものがなく、今あるわずかばかりの限度もいずれ破られる、ということです。」

「七月三十一日、ロシアの二発のミサイルがクリビイリフの教育施設と高層集合住宅を襲い、子供を含む六人以上を殺し、八人の子供を含む七十三人以上を負傷させました。この街は六月十二日にも爆撃され、十三人の市民が殺されています。この二つの出来事は、十七ヵ月にわたるロシアのウクライナ侵略のなかでひきおこされた数多くの悲劇の、そのほんの一端にすぎません。私がこの二つについて書いたのは、この街のことを特に知ってもらいたかったからです。／いま私たちは、この街の戦争犠牲者について書かなければならないのです。労働者が、まともな賃金を要求し、世界中の労働者の闘争との連帯を表明して、メーデーにデモ行進をおこなっていたこの街で、人々は今、ロシアの帝国主義的侵略による死者を悼まねばなりません。

数ヵ月前には、私たちのすばらしい論者のひとりだった二十九歳のエウヘニィ・オシエウスキーが戦いに斃れました。リバタリアン左翼で反戦の思想をもっていた彼は、ロシアの侵略を撃退しなければならない、多くの人々と共にこの戦いに加わらねばならない、という決意を固めて軍に入隊したのです。私たちのSNSには、亡くなった労働者や独立労組の闘士たちへの追悼文が次々に寄せられています。」

「私たちは、この『野蛮な古い世界』〔プーチンがつくろうとしている世界〕との闘いを共に推進することを、反戦・反帝国主義の活動家たちに呼びかけたい。現に今、あなた方は、帝国主義的侵略のない、反民主主義的な右翼的・強権的攻撃のない、核の脅威のない、そして搾取的資本主義のない未来をつくるためにたたかっています。このあなた方じしんの闘いを、これからもおしすすめてください。私たちは、今までとは違う未来をつくらなければなりません。そうでなければ、私たちはすべてを失ってしまうのです。」

メッセージを紹介した若き同志はさらに、次のことをつけくわえた。

『コモンズ』編集部のオクサナ・ドゥチャクさんは、七月十七日に次のようなメールを送ってくれました。『レジスタンスへのあなた方の一貫した連帯に感謝します。私は今、ウクライナに戻る途中なので、落ちついてものを書ける場を見つけるのが難しいのですが、できるかぎりのことはするつもりです』と。オクサナさんは、二人の子供を国外に疎開させているそうです。そこからウクライナ国内に戻る途中でこのメッセージを書いてくれたにちがいありません。こうした厳しい緊迫した戦いのただなかから、寄せてくれたメッセージに、私たちは全力で応えてゆきましょう。」

日夜命懸けでたたかう『コモンズ』誌編集部からのこのメッセージをかみしめるように聞き入っていた参加者は、〝連帯と激励のエールよ、戦火のウクライナへ届け〟とばかりに、地鳴りのような拍手で応えた。

次に彼女は、ロシア国内でたたかうオンライン新聞『ラブコル』編集長ボリス・カガルリツキーさんからのメッセージを紹介した。〔『ラブコル』は「労働者通信」（ラボーチィ・コレスポンジェント）の略。〕

「親愛なる日本の同志のみなさん！　支援をありがとう。あなたたちにはお分かりのことと思いますが、ロシアで反戦闘争をすすめている者にとって、状況は容易なものではありません。しかし、戦争に反対する者は日を追ってますます増えています。みんなで力を合わせれば、われわれは必ず変えることができる、戦争も抑圧もない世界を実現することができる、と確信しています。第六十一回国際反戦集会の成功を、私と『ラブコル』編集部は、心から願っています。」

そして国際部の女性同志は次のようにつけくわえた。「このメッセージが送られてきた日からちょうど十日後の七月二十六日に、カガルリツキーさんはＦＳＢに逮捕され、モスクワのはるか北方、北極圏に近いコミ共和国に移送されたとのことです」と。

会場中にどよめきが起こり怒りが沸騰した。参加者はみな、メッセージへの共感と連帯を示す熱烈な拍手を送るとともに、弾圧を強めるロシア国家権力への憤激を新たにしたのだ。

## 労働者代表と全学連委員長が闘志あふれる決意表明

つづいて各戦線からの決意表明だ。労働戦線を代表してマスコミ戦線でたたかう労働者が発言にたった。

岸田政権による改憲・大軍拡の攻撃をまえにして、所属労組の日共系幹部は反対運動の組織化を放棄するという惨たんたる姿をさらしている。「言論・出版の自由を守る」としてこれまで「九条擁護」を組合方針に掲げてきた彼らは、政府の「国防意識」の宣揚にさらされ組合執行部として運動を組織することをネグレクトしている。毎月の国会前行動、ロシアによるウクライナ侵略一年の集会、反原発集会など大衆運動への動員をまったくしないという犯罪的な対応を労働者は弾劾し、その根拠を暴きだす。

「日共中央指導部が、日本が攻撃された際には自衛隊を活用すると主張し、平和運動を担う人々を大混乱に陥れてしまったのはいうまでもありません。」

野党連合にすべてをかけてきた日共指導部は、権力政治の論理に骨の髄までおかされ、政権についたときにとりうる政策の観点から平和運動の方針の根幹を日米安保を前提にしたうえでの国家の外交による解決とし、「緊急時」に日本政府として自衛隊を活用するのだと踏みこんでしまった。

このような日共指導部のジグザグと腐敗に規定され運動の呼びかけすら放棄した組合執行部に抗して、創意工夫した闘いを創造し労組全体を揺さぶり大衆運動への参加をかちとってきたこと、反戦・平和や原発問題にとりくまない執行部への批判的意識を労組員のなかに大量につくりだしてきたことを、彼は自信に満ちて報告した。

労働者代表は高らかに呼びかける。「今こそ全世界の労働者と連帯し国際的な反戦の闘いを大きくつくりだしていこうではありませんか。私たちマスコミ戦線でたたかう労働者も実践的唯物論を武器に、ウクライナ反戦の闘い、大軍拡・改憲阻止の闘いを、労働組合から大胆かつ柔軟に推進する決意です。万国の労働者団結せよ！」

会場の参加者はあらん限りの力を込めて労働者代表に呼応する拍手を送った。

集会の最後に、全学連の有木委員長が白ヘル姿で登壇した。彼は開口一番、全学連が七月二十三日、侵略者プーチンへの煮えたぎる怒りに燃えてロシア大使館にたいする抗議行動に勇躍決起し、「今こそ＜プーチンの戦争＞にとどめを刺せ！」という戦闘宣言を叩きつけたことを報告した。

「ロシア労働者・人民よ、今こそ＜ウクライナ侵略反対―ＦＳＢ強権型支配体制打倒＞に起ちあがろう！」「ウクライナ人民は、ロシア人民と連帯し、侵略軍を叩きだせ！」この革命的左翼の呼びかけをロシア・ウクライナの地になんとしても届けるのだ、反スターリン主義革命的左翼の一翼を担うものとしての責務をかけてたたかいぬいた、と力強く表明した。この闘志みなぎる報告に参加者は一段と盛大な拍手を送った。

またこの五、六月に岸田政権は軍拡二法や改定入管法など反動諸法の一挙的な制定に猛突進した。この極反動法案の採決をまえにしていっさいの大衆的な反撃の闘いを放棄しさったのが、日本共産党・志位指導部だ。日共官僚どもは、松竹伸幸に煽られる右派党員を抱え、ウクライナ侵略の評価をめぐっても深刻化する党の四分五裂に怯えて、大衆運動場面から完全逃亡したのだ。

有木委員長は誇らかに強調する。「この日共中央の度し難い闘争放棄と、大軍拡を黙認する『連合』芳野指導部を怒りを込めて弾劾し、わが全学連は全人民の最先頭で、岸田政権の大軍拡反対の闘いを『日米グローバル同盟粉砕』の旗幟鮮明にたたかいぬいた。」「まさに既成反対運動の〝総死滅〟というべき日本階級闘争の萎靡沈滞を突き破り、戦闘的・革命的労働者と共に固く連帯してたたかいぬいたのだ」と。

こうした闘いを創造しているがゆえにこそ、憎悪をたぎらせた岸田政府・文部科学省が反動大学当局を突き動かして革命的学生運動を破壊するための攻撃を一挙に強めている。闘いの先頭に立ってきた愛知大学学生自治会のリーダーたちを「えん罪」をデッチあげて「退学」に追いこむという攻撃をしかけてきたのが愛知大当局だ。こうしたネオ・ファシズム的な攻撃を打ち砕くために、全学連の学生たちは敢然とたたかっているのだ。

「わが全学連は、反戦全学連の責務に燃えて、アジア全域をまきこむ熱核戦争勃発の危機を突き破るために断固としてたたかいぬく。今こそわれわれは、岸田ネオ・ファシズム政権の打倒めざして突き進もうではありませんか！」有木委員長の気概あふれる報告に、割れんばかりの拍手が鳴りやまなかった。

たたかう熱気が渦巻くなかで、司会の同志が閉会を宣言した。「今ほど私たち一人ひとりがスターリン主義を場所的に超克し、反スターリン主義者として飛躍すべきときはない。黒田さんが明らかにした反スターリン主義の思想で武装し、現代世界の変革に仲間とともに邁進せん。共にたたかおう！」

集会のしめくくりはシュプレヒコールとインターナショナル斉唱だ。舞台上に真紅の旗を手にした労働者・学生が登場し演壇をとり囲む。全学連委員長の音頭に参加者はこぶしを突きあげ、たたかう学生の歌に合わせて会場が一丸となって手拍子で呼応する。全参加者は、明日からの職場・学園でのさらなる闘いにうってでる決意をうち固め集会を大成功のうちにしめくくったのだ。

**米日韓首脳会談反対！　憲法改悪阻止！**
**岸田政権打倒めざして闘おう！**

米―中・露激突下で東アジアにおいて熱核戦争が勃発する危機がいよいよ高まっている。既成指導部が反戦闘争の組織化をいっさい放棄している惨状をつくりかえ、今夏・今秋の闘いを断固としてたたかいぬこう。

すべてのたたかう労働者・学生諸君！　今国際反戦集会においてわれわれは、プーチン・ロシアの蛮行を打ち砕くウクライナ反戦闘争をさらに推進することを誓いあった。労働者階級の国際的団結の力で〈プーチンの戦争〉を最後的に打ち砕け！

バイデン政権は今、米日韓三角軍事同盟の構築・強化に血道をあげている。バイデンは、今月十八日に尹錫悦と岸田をキャンプ・デービッドに呼びよせ米日韓首脳会談をおこない、三ヵ国の同盟関係の強化を謳いあげようとしている。この米日韓三角軍事同盟や米英豪の核軍事同盟AUKUSを基軸としてアジア太平洋版NATOを構築・強化し、NATOとリンクさせるかたちで対中露のグローバル核軍事同盟をつくりあげようとしている。この策動を阻止するために、8・18米日韓首脳会談に断固として反対しよう！

米日韓三角軍事同盟の核軍事同盟としての飛躍的強化を打ち砕け！　アジア版NATOの構築反対！　中国・習近平政権の「台湾併呑」を狙った軍事的威嚇に反対しよう！　ネオ・スターリニスト政権による反プロレタリア的策動を怒りを込めて弾劾せよ！　習近平とプーチンとが結託しての中・露の合同軍事演習を許すな！

米―中・露激突下の熱核戦争勃発の危機を突破する革命的反戦闘争の火柱を燃えあがらせよう。

岸田政権の改憲・大軍拡の一大攻撃を打ち砕け！　日共・志位指導部の「反安保」なき改憲反対運動をのりこえ、「連合」右派労働貴族の改憲翼賛を弾劾したたかおう。安保同盟強化に突進する岸田ネオ・ファシズム政権の打倒めざして、労働者・学生の階級的団結を強化せよ！　本集会の成功にふまえ、闘いの爆発をかちとろう！

〔海外からのメッセージはすべてホームページに掲載しましたので、ご参照ください。〕

海外からメッセージを寄せた組織・個人

第四インターナショナル書記局、フランス・ユニオン・パシフィスト、ボリス・カガルリツキー氏（ロシア『ラブコル』編集長）、国際社会主義者同盟（ISL）、LALIT（モーリシャス）、全パキスタン統一労働組合連合（APFUTU）、ロッタ・コムニスタ（イタリア）、ヴィクトル・フョードロビッチ・イサイチコフ氏（ロシア『マルクス主義政綱』、『啓蒙』誌編集長）、ソリダリティ（アメリカ）、FLTI―第四インターナショナル再創造集団、タビニ・フイラアティラ・ノ・テ・アオ・マオイ（マオイ・ヌイ（仏領ポリネシア））、『コモンズ』誌編集部（ウクライナ）、「ニューズ・アンド・レターズ」委員会（アメリカ）

なお集会後に、第四インターナショナル再建組織委員会（OCRFI）からメッセージが届きました。

# 第61回国際反戦集会への
# 海外からのメッセージ（1）

〔上〕ウクライナ侵略１周年の抗議集会（2023年２月25日、ワシントン）
〔下〕領土議会選挙勝利を祝うマオイ人民（同４月30日、ファアア市）

# 私たちは今までとは違う未来をつくらねばならない

『コモンズ』誌 編集部(ウクライナ)

ウクライナにたいするロシアの全面侵略は、もうじき五三〇日になります。この日々をつうじてわかったことは、この反動的な帝国主義的侵略には限度というものがなく、今あるわずかばかりの限度もいずれ破られる、ということです。

クレムリンが人の命をなんとも思っていないことは、占領者ロシアの部隊によるカホフカ・ダムの破壊によって、ふたたび実証されました。彼らは、何十人もの人々を殺し、何百頭もの動物を殺し、町や村を壊滅させたのです。この犯罪による環境や社会への長期にわたる打撃は、今後さらに明らかになるでしょう。これは、ヨーロッパにおけるここ数十年間で最大の人為的災害です。ウクライナ社会にとっては、生態系の破壊であり、チェルノブイリ原発の惨事いらい最悪の環境破壊にほかなりません。しかもロシア軍は、侵略開始の直後からヨーロッパ最大規模のザポリージャ原発を占拠しています。原発の爆破や放射能漏れといった脅威に、私たちはたえずさらされながら生活しているのです。

今年七月、ロシアは「穀物合意」を破棄しました。人々が飢えにあえいでいる発展途上諸国を食糧危機から救うために、それらの地域にウクライナの穀物を戦時でも黒海をつうじて輸出できるようにしてきた合意を破棄したのです。七月に入ってからは連日、ロシア軍は意図的計画的にウクライナの穀物倉庫を爆撃してきました。収穫された作物を台無しにし、世界の人々にそれが供給されるのを妨害しているのです。この戦略は、みずからを反植民地主義・反帝国主義闘争の闘士として、グローバル・サウスの「真の」味方としておしだすという、クレムリンの欺瞞的で鉄面皮な自己宣伝と一体のものです。

七月三十一日、ロシアの二発のミサイルがクリビイリフの教育施設と高層集合住宅を襲い、子供を含む六人以上を殺し、八人の子供を含む七十三人以上を負傷させました。この街は六月十二日にも爆撃され、十三人の市民が殺されています。この二つの出来事は、十七ヵ月にわたるロシアのウクライナ侵略のなかでひきおこされた数多くの悲劇の、そのほんの一端にすぎません。私が、この二つについて書いたのは、この街のことを特に知ってもらいたかったからです。いま戦争下にあるこの街は、一貫してウクライナにおける労働者の闘いの中心地でした。かつては鉱山や病院や工場でのストライキの報を伝えてきたクリビイリフ、だがいま私たちは、この街の戦争犠牲者について書かなければならないのです。労働者が、まともな賃金を要求し、世界中の労働者の闘争との連帯を表明して、メーデーにデモ行進をおこなっていたこの街で、人々は今、ロシアの帝国主義的侵略のゆえに命をうばわれた人々を悼まねばなりません。

数ヵ月前には、私たちのすばらしい論者のひとりだった二十九歳のエウヘニィ・オシエウスキーが、戦いに斃れました。リバタリアン左翼で反戦の思想をもっていた彼は、ロシアの侵略を撃退しなければならない、多くの人々と共にこの戦いに加わらねばならない、と決意をかためて軍に入隊したのです。私たちのＳＮＳには、亡くなった労働者や独立労組の闘士たちへの追悼文が次々に寄せられています。

最近では、『コモンズ』誌とウクライナ左翼は、わが編集委員であり、親友であり、同志であったオレクサンドル（サーシャ）・クラウチュクを失いました。三十七歳で、これまで何の健康上の問題もなかった彼が、数週間前、睡眠中に心停止で亡くなったのです。私たちははっきりと言わねばなりません。この十七ヵ月は、私たちすべてにとって極度の緊張と疲労の連続であり、サーシャは、あまりに多くの責務を負っていたのだ、と。

ロシア帝国主義は、われわれの家を破壊し、職場を破壊し、重要な闘争の芽生えと成果を破壊し、労働者と知識人を殺し、誰も堪えきれないような緊張を人々に強い、自然も収穫物も破壊し、飢餓と荒廃をウクライナから地理的に遥かに隔たった地にまでもたらしつつあります。ロシアでは、反戦・反帝国主義の活動家たちを大量逮捕し排除し、何年も長期間投獄し、独立ジャーナリストたちを殺害し、女性やLGBTQ＋の権利を攻撃し、かくしてプーチン政権は、世界の強権的で反民主主義的な潮流の最先頭にたっています。世界中の右翼勢力や右翼政府との連携をつくりだしているクレムリンは、世界の進歩的な運動にとって、いくら警戒しても、したりないほどに大きな脅威になりつつあります。そして核兵器による脅迫によって、この政権は、世界をふたたび滅亡の危機に立たせているのです。

## 侵略と強権的攻撃と搾取に反対するあなた方の闘いの前進を！

現代史のこの陰鬱な時代に、私たちは、帝国主義に反対してたたかっている世界中の人々から計りしれないほど大きな支援が寄せられていることを、ひしひしと感じています。こうした支援を生かして、私たちは、いわゆる「ウクライナ側」を理想化するのでも悪魔化するのでもない道を切りひらこうと思います。ウクライナ政府が実行してきた諸施策・諸政策には多くの後退的なものがあることを把握し批判すると同時に、ウクライナ社会が反対してたたかうべきは何かをつかみ、そして、反帝国主義運動の一翼たる私たちが反対してたたかうべきは何かについて、つかみとってゆこうと思っています。ここでは「ロシア社会主義運動」の言葉を確認しておきたい。「(プーチンがつくろうとしている) この『野蛮な古い世界』は、独裁者や汚職官僚や極右にとってはすばらしい場所になる。しかし、労働者や少数民族や女性やLGBTの人々や小国やあらゆる解放運動にとっては、地獄だ。」

私たちは、この「野蛮な古い世界」との闘いを共に推進することを、反戦・反帝国主義の活動家たちに呼びかけたい。現に今、あなた方は、帝国主義的侵略のない、反民主主義的な右翼的・強権的攻撃のない、核の脅威のない、そして搾取的資本主義のない未来をつくるためにたたかっています。このあなた方じしんの闘いを、これからもおしすすめてください。私たちは、今までとは違う未来をつくらなければなりません。そうでなければ、私たちはすべてを失ってしまうのです。

『コモンズ』誌編集部

## 『コモンズ』誌編集部 オクサナ・ドゥチャクさんからのメール

## レジスタンスへのあなた方の一貫した連帯に感謝します

実行委員会が七月初旬に「集会アピール」を『コモンズ』編集部に送ったところ、編集部のオクサナ・ドゥチャクさんから七月十七日に次のようなメールが送られてきました。

「レジスタンスへのあなた方の一貫した連帯に感謝します。私は今、ウクライナに戻る途中なので、落ちついてものを書ける場を見つけるのが難しいのですが、できるかぎりのことはするつもりです。」

オクサナさんは、二人の子供を国外に疎開させているそうです。そこからウクライナ国内に戻る途中でこのメッセージを書いてくれたにちがいありません。こうした厳しい緊迫した戦いのただなかから、寄せてくれたメッセージに、全力でこたえてゆきましょう。

# ロシアで戦争に反対する者はますます増えている

ボリス・カガルリツキー（ロシア）
『ラブコル（労働者通信）』編集長

親愛なる日本の同志の皆さん！

支援をありがとう。あなたたちにはお分かりのことと思いますが、ロシアで反戦闘争をすすめている者にとって、状況は容易なものではありません。しかし、戦争に反対する者は日を追ってますます増えています。

みんなで力をあわせれば、われわれは必ず変えることができる、戦争も抑圧もない世界を実現することができる、と確信しています。第六十一回国際反戦集会の成功を、私と『ラブコル』編集部は、心から願っています。

集会実行委員会からの紹介
このメッセージが送られてきた日からちょうど十日後の七月二十六日に、カガルリツキー氏はFSBに逮捕され、モスクワのはるか北方、北極海に近いコミ共和国に移送されたとのことです。
追いつめられたプーチン政権は、いよいよ弾圧を強化しています。許しがたいことです。
カガルリツキー氏は、ゴルバチョフのソ連邦で労働者の闘いを組織し、以降三十年以上にわたってたたかってきた人です。『モスクワ人民戦線』の著者で、黒田さんの『死滅するソ連邦』でも言及されています。

## ロシアの侵略、ウクライナ人民の闘い

# あなた方の主張を全面的に支持する

ソリダリティ（アメリカ）

親愛なる同志・友人の皆さん。

わが「ソリダリティ〔連帯〕」は、あなた方の第六十一回国際反戦集会の成功を大いに期待しています。あなた方が文書で力説しているように、アメリカ・NATOの帝国主義であろうが、中国やロシアのそれであろうが、帝国主義に一貫して反対する反戦闘争を構築することが、われわれの責務です。ロシアのウクライナへの犯罪的な侵略、そしてウクライナ人民の民族の存亡をかけた闘いに勝利することの重要性にかんしてあなた方が論じていることを、われわれは全面的に支持します。

われわれがひとつだけつけ加えたいことがあります。今年の猛暑で山火事・旱魃・洪水が北米・ヨーロッパ・東アフリカ・アジアを襲っており、こうしたなかで、軍事支出を全廃し、それを生態系の危機を阻止するために使う必要性が切迫しているということです。戦争も抑圧も搾取もない世界をめざして、前進しましょう。

同志的敬意をこめて

ソリダリティ（アメリカ）

# ウクライナ人民のレジスタンスに連帯を！

「ニューズ・アンド・レターズ」委員会（アメリカ）

第六十一回国際反戦集会の同志たちへ。

われわれ「ニューズ・アンド・レターズ」委員会は、わが創設者ラーヤ・ドナエフスカヤが一九六四年に全学連の若者たちと直接討論する機会を得ていらい、諸君と共に反戦の闘いに参加してきた。このことを光栄に思っている。この第六十一回国際反戦集会を実現するための諸君の闘いを、われわれは熱烈に支持する。ロシアがウクライナへのジェノサイド的全面侵略を開始していらい十七ヵ月、ウクライナ人民はみずからの命と民族的アイデンティティーを抹殺せんとする攻撃に抗してたたかってきた。この彼らのレジスタンスにたいする世界の労働者・活動家・人民の連帯は、ますます強固になっている。

同時にまた、アメリカのトランプ支持者のようなファシスト分子の声が各国で強まり、それがプーチンの策略を、核戦争を起こすという再三の脅迫をさえ、可能にしてきている。こうしたファシストとのいわゆる「赤と茶の同盟」を形成して、自称「左翼」は、ウクライナの自決の闘いに悪罵を投げつけている。彼ら自称「左翼」は、シリアの革命家たちにたいして悪罵を投げつけた時より以上に、あからさまにその反動的姿をさらけだしているのだ。

武器製造業の資本家たちは、第二次世界大戦で膨れあがったみずからの利益を維持するためにうごめいてきた。平和の誓いを永続的戦争経済にとってかえ、広島と長崎の市民の頭上におとされた原子爆弾を、その後もわれわれにのしかかる核の脅威のはじまりにしたのが彼らだ。これと同じように、彼らは今、ウクライナの防衛に乗じて、武器製造業の必要性を誇大宣伝し、その利潤を拡大している。石油会社も同様だ。ロシアの侵略のおかげで、彼らは数層倍の利潤をあげただけではない。炭素燃料への世界的依存を何十年も続けるべきだという彼らの要求を、あたかも愛国的なものであるかのように見せかけている。過去十万年で最高の暑さのなかで、大河が小川のようになり、多くの人が死んでいるというのに、だ。

ウクライナ人民の解放をめざす闘いは、同時に、資本家が戦争を利殖の機会としてしか見ていないことを鮮明に暴露した。みずからが買収した政治家に支えられて、資本家どもが今の地位にとどまるかぎり、戦争と平和という問題、生と死にかかわる問題は、何をいくらで売るかという問題と同列になってしまう。われわれは、これまで、資本家の権力を倒したがそれが階級社会の終わりにつながらなかった数多の試みを見てきた。だからこそ、いま、われわれは、革命の基礎を、カール・マルクスが賞賛した解放闘争のなかに見いだそう。今もつづくアイルランドやポーランドの自決をめざす闘い、アメリカの黒人奴隷やロシアの農奴の決起、そして一八七一年パリコミューンにいたる全職場の労働者自主管理、等々の闘いのなかに、それを見いだそうではないか。ウクライナ人民を支援する連帯、そしてこの国際反戦集会での連帯は、帝国主義戦争のない世界を、資本主義的戦争のない世界を、そして核戦争のない世界をめざす途を体現している。

自由のために、
ボブ・マクガイア
「ニューズ・アンド・レターズ」委員会全国編集部を代表して

二〇二三年七月三十一日

# 植民地主義反対！　マオイ人民は自らの自由を求めつづける

タビニ・フイラアティラ・ノ・テ・アオ・マオイ
（マオイ・ヌイ〔仏領ポリネシア〕）

親愛なる同志・友人の皆さん、ヤオラナ〔こんにちは〕！

なによりもまず、マオイ・ヌイ〔マオイ国〕から日本の皆さんに、そして全学連の友人たちに、熱烈な挨拶を送ります。

日本の第六十一回国際反戦集会に際して、われわれはあなた方との固い連帯を表明します。日本の人民とわれわれとの連帯は、核兵器のない平和な世界を実現するという共通の目標に導かれています。

周知のとおり、太平洋では、核爆弾の開発が全面的になされ、マーシャル諸島やマオイ国においてはその実験がおこなわれ、日本においては不幸にも人民の殺戮のためにそれが使用されました。全世界で緊張が高まるなかで、人類はいまや世界核戦争に直面しかねません。

平和な世界は、帝国主義諸国が植民地主義や新植民地主義をやめることによってのみ、実現可能なはずです。これらの諸国が、自国の過去の歴史や他民族の歴史から何事かを学んでいるようには思われません。こんにちでは、自由主義経済のうえになりたっている帝国主義諸国は、世界の覇者となるために他国の富と安価な労働力を利用することのみを目的としていることは明らかです。

太平洋の小さな島国でさえも、乏しい富しかないのに、それを免れることはできなかったし、今でもそうです。太平洋の小さな国々は、こんにち、中国とアメリカの争いにひきずりこまれています。こうしたなかでフランスは、島嶼諸国の支持をとりつけこの紛争で一定の役割をはたそうとしています。二〇二三年七月に、フランス大統領は太平洋諸国を歴訪し援助を約束して回りました。けれども、カナーキ〔仏領ニューカレドニア〕やマオイ・ヌイの独立にかんしては、一歩も譲歩しません。フランスはカナーキとマオイ・ヌイの経済を全面的に支配しており、どの国と協力するのかを決めるのはフランスなのです。

マオイ・ヌイの人民は、他国の支配のもとにおかれたいかなる民族もそうであるように、みずからの自由を今なおお求めています。自由への途は、戦争かそれとも外交によるしかありません。マオイ・ヌイがとるべきは、国際連合によって推進されているような外交だけです。フランスは、しかし、国連の「脱植民地化特別委員会」で何度も提起されたにもかかわらず、マオイ・ヌイの独立を討議するテーブルに就くことすら拒否してきました。フランスがもちだした理由は、タビニ・フイラアティラが選挙で勝利したことがないから、というものでした。その選挙に、今年、タビニ・フイラアティラは勝利し、議会で過半数を獲得しました。これでフランスの姿勢は変わるでしょうか？　そうはならないと、われわれは見ています。フランスにとってマオイ・ヌイを失うことは、自国の排他的経済水域の半分を失うことを意味するのですから！　フランスが大国づらをしていられるのは、この国が占領し・そこで核実験をおこなってきた海外領土があればこそなのです。核実験によって負わされたマオイ・ヌイ人民の傷が癒えることは、決してありません。フランスがこの苦痛と苦しみに気づくことも永遠にないでしょう。

覇権とは、経済・金融部門をつうじてばかりではなく、他民族の領土を占領することによってもうちたてられるものです。みずからの覇権が脅威にさらされている帝国主義国はあせりにかられて、この世界をますますカオスに陥れるでしょう。戦争の恐るべき諸結果を、また、この地球を滅ぼしかねない核爆弾の破壊力のすさまじさを、すべての者に思い起こさせるために、反戦運動がきわめて重要です。

連帯して！ ファアイトイト〔がんばろう〕！
ケイタプ・マアマアツアイアフタプ、ヘイヌイ・ルカイユ、ギョーム・コロンバニ
タビニ・フイラアティラ党員

# パキスタンの核保有反対！貧困と失業を一掃しよう

全パキスタン統一労働組合連合（APFUTU）

集会の案内をいただき、たいへん嬉しいです。全パキスタン統一労働組合連合（APFUTU）は、平和をおしすすめるあなた方の闘いを評価し支持します。あなた方が二〇二三年のアピールで提案している諸要求を、われわれは全面的に支持します。われわれすべての共同の闘いがなければ、世界が平和の地になることはありません。

全パキスタン統一労働組合連合（APFUTU）は、一九九八年五月二十八日に、パキスタン政府による核実験強行への大規模な抗議行動を全国各地で

おこない、パキスタン政府にたいして、核保有国になるのではなく、まずもって貧困と失業を一掃し、社会的不公正の根絶のための努力を実際におこなうことを要求しました。平和のためのこの闘いのゆえに、全パキスタン統一労働組合連合（APFUTU）は厳しい取締りに直面し、連合の資産を没収・売却されましたが、今日でもなお、われわれは平和の闘いを推進し、平和と友愛と連帯のためにたたかう世界のあらゆる闘いに敬意を表しています。疑いもなくあなた方もまた、大義のために日夜奮闘しています。あなた方の奮闘と勇気に、われわれは心よりの敬意を表します。

ジア・サイード

APFUTU書記長

# 私たちは戦争を止めるために努力します

フランス・ユニオン・パシフィスト

親愛なる皆さん

フランス・ユニオン・パシフィストは、集会が実り豊かなものになるよう願っています。

あなたたちの集会はつねにとても重要です。とりわけ今、この世界情勢のもとでは重要です。

私たちは、戦争を無条件に止めるために努力し活動しています。私たちはロシア政府に反対していきます。またＮＡＴＯにも反対です。

戦争に加わることを拒否するあらゆる平和主義者を、私たちは支持します。

連帯して

モーリス・モンテ

フランス・ユニオン・パシフィスト書記

# 核大国・米中の新たな世界戦争に反対しよう

国際社会主義者同盟（ＩＳＬ）

国際社会主義者同盟より、第六十一回国際反戦集会に心からの連帯の挨拶を送ります。資本主義が腐朽し危機にあえぎ、帝国主義間抗争が激化するこの時代において、帝国主義者の戦争計画に反対する労働者・人民の国際的連帯と組織は、かつてなく重要です。

ウクライナにおける戦争は、帝国主義間の激化する緊張の最も先鋭な表現であり、われわれが直面している課題をうきぼりにしています。それは、まず第一に、ロシアの侵略とたたかうウクライナ人民の自決の権利を擁護することです。そしてまた、NATOと西側帝国主義の軍事化と膨張の計画に対決することです。

アメリカと中国との世界の覇権をかけた争闘は、核大国間の新たな世界戦争になり地球上の人類の生命を終わらせることになるような激突へと、われわれを引きずりこみつつあります。これを阻止できるのは、世界の労働者・人民のみです。

この巨大な任務への重要な貢献を体現している諸君の集会が大成功をおさめることを、われわれは心より念じています。われわれは、いつか直接に会って、国際主義者の相互協力を発展させ、世界の労働者にとって必須な団結に寄与することを願っています。

友愛をこめて
アレハンドロ・ボダルト
アルゼンチンFIT－U内MSTの書記長、国際社会主義者同盟（ISL）委員

# プリゴジン暗殺の深層

## 1

二〇二三年八月二十三日、かの「ワグネルの反乱」からちょうど二ヵ月となるこの日に、「民間軍事会社」ワグネルの頭目プリゴジンが何者かに暗殺された。

アフリカから帰国したプリゴジンらが、モスクワで「政府高官らと会談」(プーチンの言)した直後、ワグネルの本拠地サンクトペテルブルグに空路向かう途上で、搭乗するプライベート・ジェット機が爆発し墜落したのだ。

複数の目撃者が「二度の大きな爆発音」を聞いたと語っていること、彼らが撮影した映像には尾翼と右主翼が無くなりほぼ胴体だけになって落下する機影が映っていたことなどからして、機体に爆発物が仕掛けられたことは疑いない。死亡した客室乗務員の女性が、搭乗前に「緊急の修理がおこなわれ、離陸が遅れている」と家族にメールを送っていたことからするならば、この時に何らかの爆発物が仕掛けられたと思われる。

この事件で、ワグネルの代表プリゴジン、軍事部門の責任者ウトキン、事業部門の責任者チェカロフ、これら三名の幹部全員が死亡し、ワグネルは組織の中枢を喪失した。

　事件の翌日、プーチンはテレビカメラに向かって「亡くなった方々のご遺族に哀悼の意を表す」と述べ、「プリゴジンとは九〇年代いらいの長きにわたる知己」であり、「彼は重大な過ちを犯した」が「有能かつ才覚のある人物で、共通の大義のために必要な結果を達成してきた」「捜査は厳正におこなわれる」と、こわばった表情を浮かべながら語った。

　ロシア国内では事件発生の直後から、フェイクを含むさまざまな情報が流されている。プーチン政権が仕組んだことをにおわせたアメリカ政府などの発言にたいして、ロシア大統領府報道官ペスコフは「すべて嘘だ」と叫び、連邦議会上院議員のクリモフは「CIAのしわざだ。ワグネルの反乱もCIAが関与したことは疑いない」と主張した。他方、ワグネル残党が運営するSNSには、「プリゴジンは、ロシアを裏切る者たちのせいで命を落とした」と、その怒りをロシア権力内部の何者かに向ける言葉が記されている。

　ロシア国内でさまざまな情報操作がおこなわれているそのさなか、ロシアの航空当局（旧ソ連邦構成共和国でつくる国家間航空委員会）は、国際的な合同調査への協力を申しでていた墜落機の製造元であるブラジルの航空当局および航空機会社にたいして、「国際基準にもとづく捜査（事故原因の究明）はしない」ことを回答した。

　こうして、ロシア政府・連邦捜査庁が何も発表しないがゆえに、真相はおし隠されたままなのである。

　確かなことは、「邪魔者は消せ」――国家にとって邪魔とみなしたものは白昼公然と抹殺するということにほかならない。

　プーチンを表看板とするFSB強権型支配体制が形成されていこう、支配権力に歯向かったとみなされた幾多の政治エリートやオリガルヒが、そして情報機関の元幹部らが、次つぎと自殺や事故死にみせかけて消されたり毒殺されたりしてきた。ロシア連邦国家はまさにマフィアのような国家と化しているのだ。

これこそが、ＦＳＢ強権型国家のむきだしの姿なのである。しかも、もはやこの姿を隠そうともしない。――それほどにロシアの支配体制はいま追いつめられ、来年三月の大統領選挙を前にして支配体制内部の抗争をいっそう激化させ、ガタガタに揺らいでいるのである。

## 2

巷では多くの評論家が、「ワグネルの反乱で弱い指導者と見られてしまったプーチンが、九月の統一地方選を前に強い指導者であることを演出するために、見せしめとして殺害した」だの、「ロシアでプーチンが関与せずに起こることは何もない」「プーチンは、二ヵ月の間プリゴジンを許したかのようにふるまって油断させた」だのと、口々に語っている。だがはたして、ことはそれほど単純であろうか？

ＮＨＫの或る解説委員は、「私はロシアで起こることはすべてプーチン大統領が決定しているという説はとりません。体制を支える治安機関内部のさまざまな勢力、軍、プーチン閥と呼ばれる財閥たち、プーチン体制は大統領を調停者とする連合体という性格もあります。内部の対立は時に血生臭い事件になることもあります」（八月二十八日の「時論公論」）と語っていたが、こちらの方がはるかに正鵠を射ているであろう。

まず、飛行機に爆弾を仕掛けて墜落させたことが歴然としているこの手口は、政権の座にあるプーチンが手を下したにしては、あまりにも露骨でありかつ稚拙である。「民間軍事会社」を自称してきたワグネルにたいして、じつはロシアが国家として過去一年だけでも一〇億ドルもの資金を拠出していたことを、すでにロシア政府自身が「ワグネルの反乱」収拾にさいして公然と認めてしまっているのであるが、今回の事件を前にして全世界の人民はもちろんのこと、ロシアの人民もまた「プーチンはもはやヤキが回っている」と思うにちがいない。

次に、ロシア国家の〝汚れ仕事〟を一手に引きうけてきたプリゴジンは、プーチンの裏側――不正蓄財や殺人や謀略などなど――を当然のことながら熟知している。このプリゴジンはみずからの身の安全を保証する〝保険〟として、「もしも自分に何かがあった時には……」と、プーチンの犯罪を洗いざらい暴露する文書をしたためて密かに保管させているとされる。二ヵ月の間に「安心させた」などというのは、あまりにも脳天気で平和ボケした推理だといえるであろう。

さらに、今後のワグネルの処遇についてである。プーチンは国防相ショイグ・参謀総長ゲラシモフとともに、ワグネルを解体し国防省のもとに組みこむことを策しているといえる。だが、ロシアの人民のあいだで（彼らがワグネルの残虐さを知らないこともあって）プリゴジンが英雄視されているなかで、あのような〝公開処刑〟に近いかたちでワグネル幹部を抹殺したとするならば、それはかならずや裏目に出るにちがいないのである。

しかもプーチンは、残存ワグネル勢力の復讐と軍内部に潜在するワグネル・シンパ層の反乱を恐れている。だからこそプリゴジンの死亡直後の二十五日には「志願兵（ワグネルの戦闘員を含む）に国家への忠誠を誓い、指揮官の命令に忠実に従う義務を負わせる」大統領令などというものを、急きょ定めたりもしているのだ。

さらにワグネルの処遇は、アフリカにおけるこれまでのワグネルの「活動」を誰がどのように引き継ぐのかをめぐる、ロシア権力内の抗争ともつながっている。それは石油・天然ガスや金・ダイヤモンドなどの採掘利権だけにかかわるのではない。サヘル地域とその一帯の諸国家（マリ、ニジェール、スーダン、中央アフリカやガボンなど）をロシアの勢力圏のもとに置くことは、いまやロシアの生き残りにとって死活的に重要なのであるが、ロシアが国家として・国防省として公然と関与し引き継ぐよりは、「第二のワグネル」のような民間軍事会社に関与させる方が、はるかに「有効」でありアフリカ各国への浸透を柔軟に進めやすい、と考える部分がいるにちがいない。

ちなみに、かの「ワグネルの反乱」の収拾にあたって対応不能に陥ったプーチンに代わり、反乱部隊をベラルーシに移動させてただちに処罰の対象とはしなかったのが、パトルシェフであった。この男がこうした収拾策を考えたのも、右のことと関係しているのかもしれない。

こうしてみていくならば、ＦＳＢ強権支配体制内部の誰かが――たとえばパトルシェフの一派が、むしろプーチン一派を追い落とすために、そして同時にもはや「反乱軍」となったワグネルはこれまでのようなかたちのままでは使えないがゆえに、その幹部を一掃し換骨奪胎するためにかのプリゴジン抹殺を演出したということが、十分に考えられるのである。

## 3

たとえその真相は闇に葬られようとも、プリゴジンの暗殺によってロシアの権力者どもは、あきらかに墓穴を掘ったといわなければならない。それは、ロシアＦＳＢ強権型支配体制の断末魔を告知するいがいのなにものでもないのである。

ロシアはいま、ＢＲＩＣＳに新たにサウジアラビアやイランおよびＵＡＥなどの六ヵ国を引き入れることによって、みずからの孤立を打開しようともがいている。

気息奄々のプーチンは、「核軍事力（ロシア・中国）」と「製造業大国（中国・インド）」「エネルギー資源大国（ロシア・サウジアラビア・イラン）」「穀物大国（ロシア・ブラジル・アルゼンチン）」および「物流ハブ大国（ＵＡＥ）」の結束をはかることにより、米欧日に対抗して広大なアフリカ大陸を後背市場とする一大経済圏を構築し、あわよくば共通通貨をも創出することをもくろんで、そこに亡国ロシアの生き残りをかけているかのようである。だがそれは、まったくの画餅にすぎない。なぜならそれらの国々は、あたかもロシアの屍に群がるかのように、それぞれのエゴイスティックな思惑にもとづいてＢＲＩＣＳに参加しているにすぎないのだからである。

ロシアの支配体制はいまや、内部的な亀裂と動揺をかつてなく深めている。この惨めなプーチンのすべての誤算のはじまりは、ウクライナの人民と土地と国家を、その民族的アイデンティティーそのものを抹殺しつつロシアの版図に力ずくで組み入れようとしたことに、そしてまさにこのゆえにウクライナ人民の頑強な抵抗に直面し逆襲されたことにこそあるのだ。

全世界の人民は〈プーチンの戦争〉というこのナチスと同断の世紀の大罪を打ち砕くために、いまこそウクライナ反戦の炎を燃やせ！

ロシアの労働者・人民よ！　国家に逆らう者をすべて抹殺し力ずくで人民をねじ伏せているＦＳＢ強権型支配体制の〝悪〟を怒りを込めて弾劾せよ！　みずからは御殿のような大邸宅に住まい贅沢三昧の生活を享受しながら、数多の人民に天文学的な所得格差のもとでの貧窮と侵略戦争での無惨な死を強制しているロシアの支配者どもを断じて許すな！　この輩どもは、自己崩壊したスターリン主義ソ連邦の国有財産を横奪して成り上がった、ＦＳＢ官僚を中核とする特権的支配層いがいのなにものでもないのだ。

ロシアの労働者・人民は、侵略とたたかうウクライナの兄弟姉妹たちと連帯し、ウクライナ侵略反対＝ＦＳＢ強権型支配体制打倒の闘いにいまこそ総決起せよ！　あの輝かしいロシア・プロレタリア革命の息吹を今に甦らせ、すべての戦線から職場からただちに闘いを組織せよ！

わが日本の反スターリン主義革命的左翼はこの日本の地において、「ロシアもウクライナも武器を置け」だの「悪いのはＮＡＴＯ」だのとほざいて〈プーチンの戦争〉を免罪し自滅しさった自称「左翼」どもの無様な屍を踏みこえ、いまこそウクライナ反戦の炎をいっそう激しく燃えあがらせよう！　日本の地におけるこの闘いの大高揚とその全世界への波及の闘いの前進こそが、ロシアのウクライナ侵略を打ち砕く大きな力となり、またロシアの侵略とたたかうウクライナ人民への限りない熱き連帯の檄となるのだ。ともに力のかぎりたたかいぬこうではないか！

（二〇二三年九月一日）

Ｋ・Ｆ

# インド・モディの「戦略的自律」外交
## 中国に対抗した「グローバルサウス」諸国の抱き込み

筑摩萱二

### 1　中国と対抗しアメリカとともに太平洋島嶼国抱き込みに狂奔

二〇二三年五月二十二日に、インド首相モディは、南太平洋のパプアニューギニアにおいて、太平洋島嶼国十四ヵ国の権力者を集めて「インド太平洋島嶼国協力フォーラム（ＦＩＰＩＣ）」の首脳会合を開催した。ここでモディは、太平洋島嶼国が抱える気候変動・海洋環境悪化や食料供給不安にたいする対応、医療体制強化や経済振興などへのインドの支援強化を約束した。このインドの大盤振る舞いにたいしてパプアニューギニア首相マラペからは、インドこそ「グローバルサウスのリーダー」だという賛辞が送られたのであった。

この会合と同じ場所で同日に、太平洋島嶼国権力者との会議をもちパプアニューギニアとの防衛協力協定を結んだのが、アメリカの国務長官ブリンケンであった。右のＦＩＰＩＣ首脳会合そのものを、モディ政権はアメリカ・バイデン政権との連携にもとづいて開催したのだ。バイデン政権とモディ政権はともに、この地域の権力者の抱き込みや企業進出の策動を加速する習近平・中国に対抗するために、この地域の諸国にたいする経済・政治・安全保障上の「協力」を米・印が連携して強化することを謳う会議を同時開催したのである。

こんにち中国・習近平政権は、経済援助にものを言わせて、太平洋島嶼諸国にたいして台湾との「国交断交」を迫り、中国海軍艦船の寄港承認などの軍事協力関係をもつくりだしつつある（ソロモン諸島など）。太平洋島嶼諸国をはじめ全世界の「グローバルサウス」と呼ばれる新興諸国・発展途上諸国の権力者をとりこむために、中国権力者は、「内政不干渉・発展権」の旗を振りつつ、経済支援を特定諸国・地域に集中している。この中国に対抗して「グローバルサウスのリーダー」たるの地位を獲得しようとしているのが、モディのインドなのである。

そのためにモディ政権は、米・日・豪・印の「QUAD」の一員となり、また米・日・韓を中心とした経済・技術協力（とりわけ先端半導体製造・供給）の〝緩やかな枠組み〟たるIPEF（インド太平洋経済枠組み）の中心的な位置を占めてきたことを利用しているのだ。米・日両権力者との連携のもとでモディ政権は、中国がもたない先端的技術を餌にして、後進諸国権力者の抱き込みに狂奔しているのである。

だが同時にインドは、中国主導の上海協力機構SCOおよびBRICSの一員でもある。ロシアのウクライナ侵略に制裁措置をとるという欧米諸国権力者の国連諸決議案にたいしてモディ政権は、一貫して、「国連決議にもとづかない制裁反対」を掲げる中国・習政権に同調して「棄権」の態度をおしだしているのだ。〝先進国の紛争によって被害を被っている後進国〟としての権利をば、モディ政権は後進国ナショナリズムにもとづいて主張してもいるのである。そして実際、インドはロシア産石油の輸入を継続し、しかもウクライナ侵略前より十倍以上に増やしている。

このようにモディ政権がいわゆる西側諸国にもロシアにも開かれた〝中立国〟としてふるまっている

ことを承知のうえでバイデン政権は、むしろそうしたインドであればこそ「グローバルサウス」諸国を抱きこむのに好都合であると計略をめぐらせて、モディを緩やかな〝対中包囲網〟構築の先兵として利用しているである。

（上）ホワイトハウスのモディ（中央）とバイデン（右）
（下）大都市ムンバイの高層ビルとスラム街

バイデンは六月二十二日にモディをホワイトハウスに招いて会談した。首相クラスは国賓として扱わない慣例を破ってモディを国賓として遇し、米印関係の「新たな一章」を誇示したのだ。そしてアメリカ製無人機MQ９Bを売却したり米軍艦の補給・修理拠点をインドに設置したり戦闘機エンジンの共同生産を推進したりするなど軍事協力を強化するとともに、宇宙分野や半導体サプライチェーンの拡大などの経済的・技術的協力の強化を約束したのだ。

こうしたバイデン政権のインド厚遇は、まさしく、対中包囲網を重層的かつグローバルに構築するというヤンキー権力者の世界支配戦略にのっとってのことである。対中国・対ロシアのグローバルな核軍事包囲網を、バイデン政権は、日米軍事同盟と米英豪「ＡＵＫＵＳ」核軍事同盟とＮＡＴＯとを結びつけて構築している。同時にこの外郭に、〝緩やか対中包囲網〟を形成するために、インドを中核として、南アジアやＡＳＥＡＮ、太平洋島嶼諸国さらには中央アジア諸国のなかの特定部分を政治的・経済的に結びつけることに狂奔しているのがバイデン政権なのである。

ロシアのウクライナ侵略を契機として激化した米—中・露の激突のもとで、モディ政権は、この機をインド国家の〝第三の超大国〟への成長の絶好のチャンスとみなしている。みずからを「グローバルサウスの旗手」であり「グローバルサウスと先進国との橋渡し」をなしうる国家とおしだしつつ、あくまでも自国の経済的・政治的利害の貫徹に狂奔しているのだ。

　こうした対外政策を「戦略的自律」とシンボライズしているのが、インドの外交政策の決定を主導している外相ジャイシャンカルである。この「戦略的自律」と称するモディ流の対外政策は、米—中激突のもとでインドの国家的利害（大財閥などの支配階級の利害）をあくまで第一義とするものであり、「ヒンドゥー至上主義」にもとづくインド・ナショナリズムを外へ貫徹するものにほかならない。

## 2　「グローバルサウスの旗手」を自任

　米・欧・日そして中・露の権力者たちは、いわゆる「グローバルサウス」諸国の抱き込み・囲いこみに狂奔している。そのなかでインド・モディ政権は、世界で誰よりも早く「グローバルサウス」の名を冠した会合を企画し開催した。本年一月の「グローバルサウスの声サミット」がそれだ。これにはG20諸国を含まない一二五ヵ国がオンライン形式で参加し、十のセクションで討議したと発表されている。

席上、モディは訴えた。「新型コロナ感染症や、ウクライナ紛争、債務の累積、食糧やエネルギー安全保障など」が「発展途上諸国世界に深刻な影響をおよぼしてきた」にもかかわらず、この「グローバルサウスの声は無視されている」、「世界の人口の四分の三がグローバルサウス諸国に暮らす。新たな秩序をつくりださねばならない」と。

米―中・露対立と「ウクライナ紛争」、その最大の犠牲者は途上諸国である。インドはそれと利害を共にする――、モディはこのようにおしだしている。

「グローバルサウス」諸国の権力者が実質上ロシア・プーチン政権を擁護する行動をとっていると非難する者にたいして途上諸国の権力者は言う――国民を食べさせるためには、ロシア産の石油や肥料、穀物を手に入れなければならない。ロシア製兵器も国内の敵対勢力を排除するためには必要だ。中国の手も借りなければならない。だから欧米が進めるロシア制裁策に加担するわけにはいかない。「私たちを助けようとしない人に〔民主主義だ、なんだかんだと〕とやかく言われたくない。苦境から抜けだすためには〝とげのある枝〟でもつかむしかない」(ブルキナファソ外相)と。まさにこれはインド自身の主張でもある。インドは「国益第一」を貫いて対露制裁決議に「棄権」をくりかえし、ロシアから格安の石油や肥料を輸入しつづけてきた。

そして、モディ政権は、二〇二二年十二月にインドがG20議長国に就任するとともに、みずからの立場は「グローバルサウス」諸国と同じであって、その利害を体現して国際的な「新しい秩序」を形成するのだと強力におしだしはじめたのだ。

かつて「第三世界」の代表ヅラをしていたのが中国であり中国権力者じしんは今でも「永遠の途上国」を自称してはいる。だがこんにち、アメリカを追い越して世界の覇者の座を奪取しようとする「大国」としてたち現れているのが中国だ。しかしこの中国は、「債務の罠」と呼ばれるようなやり方で

〝収奪者〟となっているがゆえに途上国権力者の警戒と反発を買ってもいる。これにたいしてインドこそが「グローバルサウス」の代表である、とモディは言うのだ。

モディ政権は「真珠の首飾り」と呼ばれる拠点構築などでインド洋・南アジアに進出する中国に対抗するために、「インド太平洋地域」における、米・日が主導しASEAN諸国も加わる「安全保障上の枠組み」に参加し、米・日・豪などとの軍事演習にも参加してもいる。その他方で、陸続きであり国境紛争を抱える中国・パキスタンやイスラム勢力の支配するアフガニスタンへの対策として、「テロ・分離主義勢力の根絶」を掲げるSCOやBRICSを利用してもいる。

このようにモディ政権は、米・欧・日からも、中・露からも、双方から〝インドの国益〟になるものを得るために「プラグマティック」な対応をしている。

だがウクライナ侵略を強行したロシアが軍事的敗勢と国際的孤立に追いこまれプーチン自身の権威が失墜している現在、軍事協力の重点をロシアからフランスなどの欧州へと徐々に移動させている。これまでの両陣営のあいだでバランスをとるような外交政策はいつまでも続けることはできない、とモディは判断したにちがいない。〔すでに昨年九月にはプーチンにたいして「今は戦争をしているときではない」とマスコミの前で直言してみせた。」

　インドの国家的利害を貫徹するために、実現すべき課題ごとに連携する相手を据えかえるのがモディ政権の「戦略的自律」外交だ。外相ジャイシャンカルは、「プルーラリズム〔複数国主義・多極主義〕によるグループのリーダー」として「諸国に距離をおくのではなく関与していく」と主張している。かつてネルーらが提唱した「非同盟主義」が、対抗する二大陣営のどちらにも加わらず「距離をおく」ものだったのにたいして、今日の「戦略的自律」政策は、「地域すべての国家に安全保障と成長」を与える（SAGARと呼ばれる）ために世界の既存の「秩序」にも「関与する」こと、自己の要求を貫徹すべく積極的に行動することなのだ、と。だからインドは「形成者、決定者」となるのだ、と。まさにこうした考えにもとづいてモディ政権は「グローバルサウス」諸国権力者をとりこむ積極的政策にうってでているのだ。

　すでにインドはアフリカ諸国と「インド・アフリカフォーラム」を開催したり、新型コロナウイルス感染の拡大にたいして「製薬大国」としてワクチンを一二〇ヵ国に、その多くを無償で提供したりしてきた。これらを基礎としてモディは「グローバルサウス」を牽引することを企んでいるのだ。それをつうじて国際政治場裡に「新しい秩序」を形成するとおしだしているのである。

### 3　「第三の大国」への飛躍の野望

没落帝国主義アメリカに代わって世界の覇者の座の獲得に突進している中国。だがこの中国の経済成長の鈍化は明白になっている。すでに「一帯一路」人民元経済圏構築の策動は行き詰まりを示している。こうした世界的趨勢を見てモディ政権は、〝次はインドの時代だ〟と豪語し、「南アジアの地域大国」から、米中につぐ「第三の大国」へとインドを飛躍させるという国家戦略を固めているのだ。

今年、インドの人口は中国を抜いて世界第一位になったと国連などが推計している。ＧＤＰにおいても、インドはイギリスを抜いて世界第五位になった（二二年）。日本やドイツを抜き世界第三位になるのも時間の問題だと世界の資本家どもは予測している。それゆえこのインドを、巨大市場として、投資先としてねらって、帝国主義諸国の資本家どもはよだれを垂らしている。まさにこれをチャンスとしてインドのさらなる経済成長なるものを願望しているのがモディ政権である。

だがこの経済的急成長とは、インドの労働者が相対的に中国よりも低賃金で劣悪な労働条件を強制され、ヨリ安価な労働力としてインドの大財閥や外国資本の餌食に供されていることの所産にほかならない。

モディ政権は世界各国から投資を呼びこみ「世界の工場」へ飛躍する政策をとってきた。だが、新型コロナ・パンデミックのもとで、供給網の寸断と外資引き揚げにより、製造業のＧＤＰに占める割合は低下している。彼らは今、ＩＴ産業人材を育成しデジタル技術の開発・輸出に活路を見いだしている。モディの地元グジャラート州に工場を建設し半導体を国産化するなどの計画を実現するために、米・欧・日諸国からは投資を呼びこみ技術を移転し、途上諸国からは天然資源を獲得することに狂奔しているのだ。

## 「世界第三位」の軍事費

モディ政権は「大国にふさわしい軍事力」の増強に突進している。すでにインドの軍事費は米・中につぐ世界第三位だ。軍備増強のためにこの政権は、ロシアのほか、アメリカ、フランス、イスラエルなどから兵器や装備品を購入するとともにこれらの諸国と合同軍事演習を実施してきた。インドは国境線を争う中国およびこれに支えられたパキスタンという、核武装した両国と軍事的に対峙している。また「カシミール解放」を呼号するイスラーム武装勢力の攻撃も断続的に発生している。これらへの対処を理由にしてモディ政権は軍事力強化に狂奔しているのだ。

主要な軍装備であったロシア製の兵器は古くなっているばかりかウクライナ侵略を契機にして調達も減少している。それゆえ彼らは、欧米の最新兵器を大量に獲得することを追求しているのだ。

# 4 ヒンドゥー至上主義にもとづく苛烈な人民弾圧

人民党・モディ政権は「自立したインド」を「世界第三の大国」として建設すると呼号している。彼らがめざしているのは、ヒンドゥー至上主義の国家の強大化にほかならない。二〇一四年に政権の座についたモディの人民党の政権は、野党を徹底して弾圧してきたのだ。ガンジー以来の「政教分離」を党是とする「国民会議」派は、〝欧米かぶれの富裕層の党〟と人民党から攻撃されて凋落いちじるしい。とはいえ、モディの人民党政権はインド人民の利害を体現しているわけではまったくない。

二〇二二年モディ政権は、それまで非課税だった豆・コメ・乳製品に五%もの物品サービス税を課す税制変更を強行した。経済成長のためとおしだして、大財閥の資本家などを優遇する経済政策をとっているこの政権は、法人税を軽減する一方で、人民にたいしては増税を強いているのだ。ヒンドゥー教系新聞さえ「世界で最も逆進性が強い税制」だと反対を表明せざるをえなかった反人民的な制度だ。だがモディ政権は、反対を表明した野党議員を次々に資格停止処分に付すなどの強権を振るった。国民会議の元総裁ラフル・ガンジーにはモディへの名誉毀損なるものをでっちあげてその議席を剥奪したのだ。

また、イスラーム人民や少数民族・エスニック集団などにたいして、人民党の支持者を動員した暴力的迫害を強行している。ムスリムが多数のジャンムー・カシミール州を二つに分割し、その自治権を強権的に撤廃してしまった(二〇一九年)。人民党に批判的な英BBCの番組は放送中止に追いこんだ。親モディの財閥にメディアを買収させたり、モディに批判的なジャーナリストを弾圧したりしてマスコミを統制している。モディは「ヒンドゥー・ナショナリズム」を煽りたててこうした強権を正当化しているのだ。

経済的にはインドの階級間・階層間の格差がますます拡大している。大財閥の資本家階級とIT高度技術労働者、これにたいして対極の貧困層の増大は、高失業率(二三年三月は七・八%)にもあらわれている。大都市ムンバイの総人口二〇〇〇万人の約四割がスラム街で暮らす貧困層人民なのだ。

この階級間・階層間の格差をおし隠すのが「ヒンドゥー至上主義」であり、「第三の大国インド」への幻想の煽りたてである。このインドを対中国包囲網形成のために抱きこんでいるアメリカ政府や日本政府がこの国を「世界最大の民主主義国」などともちあげるのは、まさに茶番の極みではないか。

このモディ人民党政権に人民は反発を強めている。すでに一部の州政府選挙では人民党は惨敗を喫した。これに危機感を抱いたモディは、来年春の総選挙で勝利をもぎとるために、G20議長としての外交的成果を華々しく演出することに血道をあげているのだ。

外に向けては軍事力増強に突進し、内に向けてはインドの労働者・人民に貧困を強制し強権的支配を敷くモディ政権を許すな!

## ロシア―アフリカ・サミット

# 「施しは受けぬ、穀物封鎖をやめろ」

二〇二三年七月二十八日、ウクライナからの穀物輸出問題を協議したロシア・アフリカ首脳会議の閉幕にさいして、アフリカ連合議長国コモロの大統領アザリが奮然と述べた。〝穀物供与だけでは不十分だ、われわれが必要としているのはロシアによる黒海封鎖の解除だ〟と。この時、隣にいたプーチンは顔を歪め、いまいましさを満面にあらわしたのだ。

会議の最大の目玉商品として、初日二十七日にプーチンは、アフリカ六ヵ国を対象として過去最大規模の五万トンの穀物を無償供与することを表明したのであった。しかも、クーデタによって親露政権をうちたてたマリなどの諸国を選別するかたちで。このように、まさに餌で釣ろうとするこの提案にたいして、アフリカ権力者たちは「われわれは施《ほどこ》しを受けに来たのではない」と、これを拒絶した。

彼らが何よりも怒ったのは、ロシア政府が七月十七日に「穀物輸出合意」から一方的に離脱し、ウクライナ産穀物の運搬船を黒海に封じこめたことだ。なおそのうえにプーチン政権はオデーサの穀物倉庫をドローン攻撃し、アフリカ諸国人民の命の糧である穀物を次々に焼き払った。このような所業をただちにやめることをアフリカ諸国権力者が求めたがゆえに、サミットの「共同声明」は一週間ものあいだ発表できなくなったのだ。

この過程で、「共同声明」の内容をめぐっても、アフリカ諸国はロシアと決定的に対立した。黒海封鎖の解除と同時に対露制裁を解除するという文言をプーチンは「共同声明」に盛りこもうとした。だが、アフリカ諸国権力者はこの文言を表記することを拒否した。こうして声明の表現は、「穀物輸出の障害除去のために具体的措置をとる」ことをロシアにも要求するものに変更されたのである。

「グローバルサウス」と呼ばれる発展途上諸国の権力者たちはこれまで、国連のロシア非難決議に賛成せず、対露制裁は食糧危機をもたらすとしてこれへの参加も拒否してきた。そうすることによって、ロシアの侵略に手を貸す役割を結果的に果たしてきたのだ。だが、ウクライナ侵略の長期化とそれへの制裁措置により新興諸国や開発途上諸国への穀物供給が滞り、また食糧価格が二倍近くにも急騰して、何億もの人民が飢餓を強制されている。それら諸国の権力者たちにとっても、この人民の悲惨はもはや一刻も放置しえないほどのものになっている。海上封鎖などとうてい許容することはできないのだ。プーチンの擁護者として「合意」達成に奔走してきた南アフリカ大統領ラマポーザはうめいた――「われわれだって（和平に）貢献できることを信じている」と。アフリカにおけるロシアの〝盟友〟のこの必死の訴えに配慮する余裕も完全に失っているのがプーチンなのだ。

プーチン(中央)とアフリカ各国首脳（8･27）

　これには前提があった。六月にラマポーザらはウクライナとロシアを回って、ロシア軍撤退なき「即時停戦」というロシアに有利な「和平案」を両国に提起した。ところが、これにいらだったプーチンは、ラマポーザの発言を遮るかのように猛然とウクライナ侵攻を正当化する言を連発したのだ。「停戦を拒否しているのはゼレンスキー政権だ」「この戦争を二〇一四年に始めたのはキエフだ」「ウクライナからの穀物のうちアフリカに出荷されたのはたった三一%だ」……

　ＢＲＩＣＳの一員である南アフリカの大統領は、ロシアを窮地から救おうとして、中国・習近平と腹を合わせてその示唆のもとに「和平提案」をおしだした。これすら蹴とばすプーチンに、アフリカ権力者どもは嫌悪感すら覚えた。いや、彼らはその直後に「ワグネルの乱」に直面し、プーチンの終わりを見てとったにちがいない。ラマポーザを先兵としてアフリカ諸国を広く囲いこむ、というプーチンの策はもはや完全に破綻しているのだ。

プーチンは国際司法裁判所によって指名手配され外遊がままならないがゆえに、この会議をロシアで開催せざるをえなかった。外相ラブロフが二回にわたってアフリカ諸国を訪問して、参加をオルグし会議での合意内容を根回ししてきた。それにもかかわらず、首脳の参加はわずか十七ヵ国のみ（第一回は四十三ヵ国）。エジプト大統領シシはプーチンとの顔合わせに遅れて登場。人を待たせることで大物を気どるプーチンのお株を奪い、あからさまにプーチンを見くだす態度をとった。エチオピア首相アビーとのツーショット写真撮影において、プーチンは握手の手をしっかりとつかみなかなか離さなかった、アビーが気まずそうにしているのもかまわずに。なりふり構わぬプーチンのパフォーマンスは、この男を表看板とするFSB強権型体制の落日の姿を象徴するものにほかならない。

## 砂塵舞うサヘル

## ニジェールでクーデタ
## 親仏政権倒壊にロシアの影

二〇二三年七月二十六日に、旧フランス植民地である西アフリカ・サヘル地域のニジェールで、チアニ将軍率いる軍部隊（大統領警護隊）がクーデタを決行、親フランスの大統領モハメド・バズムを追放（拘束・監禁）し、「祖国防衛国民評議会」を名乗って憲法停止と軍事政権樹立を宣言した（二十八日）。同じく旧フランス植民地たるマリ（二〇二〇年）、ブルキナファソ（二〇二二年）につづく、サヘル地域における親仏政権のクーデタによる倒壊である。このクーデタを、マリとブルキナファソの軍事政権が支持。これにたいして、ナイジェリアなど周辺国十五ヵ国でつくる西アフリカ諸国経済共同体（ＥＣＯＷＡ

S)はバズムの即時復権を要求し、要求が容れられない場合は「軍事介入も辞さない」として、その準備を着々と進めている。いまや西アフリカに新たな戦乱の危機が切迫しているのだ。

　このクーデタにかんして特徴的なことは、クーデタが決行されると同時に、首都ニアメーなどの街頭が、ロシア国旗をふりかざすデモによって埋めつくされたことだ。デモ隊は旧宗主国フランスの旗を焼

クーデタを支持し「フランスは出ていけ」と叫ぶデモ参加者（首都ニアメー、８月３日）

き捨て、「プーチン万歳」を連呼しさえした。

　このことからしても、今回のクーデタの背後に、「イスラム過激派対策」を名分として隣国マリに駐留しているロシアの軍事顧問団、あるいは「プリゴジンの乱」以降ロシアからアフリカに流入を加速しているとされる「ワグネル」部隊のなんらかの関与があったことはまちがいない（チアニ将軍がマリで「ワグネル」に支援を求めたといわれている）。

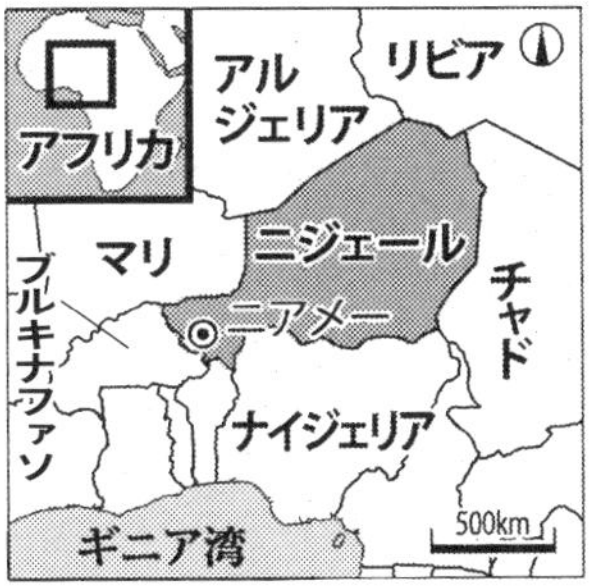


　今回の軍事クーデタにたいして一定の民衆の〝支持〟が集まったことの背景には、フランスと結びついたバズム政権のもとでニジェール民衆が塗炭の苦しみをなめさせられてきたという現実がある。

　ニジェール（人口約二四四〇万人）は、五人に二人が一日に二・一五ドル（約三〇八円）以下で暮らす世界最貧国の一つ。このように民衆を貧困のどん底にたたきこみながら、バズム政権は旧宗主国フランスの原子力企業にたいしてウラン鉱山開発の権利を惜しげもなく提供してきた。この親仏政権をおしたてることによって、ニジェールをウラン獲得のための要衝として確保しつづけてきたのが「原子力大国」フ

ランス。そのウラン調達先として、ニジェールは二二％ものシェアを占めていた（二〇二一〜二三年の統計）というほどだ。このフランスにたいして、〝自分たちから富を奪いさっている〟という怨嗟の声が巻き起こるのは当然である。〔そして、まさにこの貧苦ゆえに、多くの人々がＩＳ系などのイスラム武装勢力に参入する事態も生みだされてきた。軍事政権は今回クーデタを起こした理由として、バズム政権や駐留フランス軍がこの武装勢力に対処できないことをあげている。〕

ニジェール人民の反仏運動にたいして、バズム政権は凶暴な弾圧で応えてきた。マリでの軍事クーデタによって追い出されたフランス軍のニジェールへの再配備を許可し、その力をも借りながらである。このことは当然にも民衆の反仏感情の火に油を注いだ。これを背景として軍部隊はクーデタを決行したのだ。

今回のクーデタに際してロシア軍あるいはワグネルがどのように関与したのかは詳らかではない。ただしかなことは、ニジェールに親ロシア軍事政権が登場した今、目下アフリカ諸国の抱き込みに狂奔しているプーチン政権が、マリ、ブルキナファソとともにこのニジェールをみずからのアフリカにおける橋頭堡として打ち固めることに注力するにちがいないということだ。それが、「核大国ロシア」が欲するニジェールの巨大なウラン利権の獲得にもつながることであってみればなおさらである。そしてまさにこのようなロシアの策謀を熟知しているがゆえに、アメリカ・バイデン政権は「ロシア軍とワグネルがクーデタに便乗している」（国務長官ブリンケン）と危機感もあらわに叫んでいるのだ。

今回のクーデタは、ロシアのウクライナ侵略を震源として激化する米欧帝国主義とロシアとのアフリカ諸国〝争奪〟戦、その現局面を示しているのである。

〔八月十五日、プーチンが「ワグネル」の活動拠点マリのゴイタ暫定大統領と電話会談。ニジェール問題の「外交的手段による解決」を確認し、ＥＣＯＷＡＳの軍事介入を牽制した。〕

# 〝米中半導体戦争〟と台湾クライシスの切迫

深水新平

## A　先端半導体をめぐる米・中激突の新転回

二〇二三年八月一日を期して中国・習近平政権は、半導体などのハイテク製品の製造に必要なガリウムやゲルマニウムの輸出を許可制にするという規制措置を発動した。

この措置は、アメリカ・バイデン政権が昨二二年十月七日にうちだした対中国の包括的な先端半導体禁輸措置、そして日本政府がバイデン政権の要請にもとづいて今年七月から実施した半導体製造装置の輸出規制、これらにたいする中国政府としての報復的反撃にほかならない。

ガリウムは中国が世界生産量の九四%を占めており、ＥＶ(電気自動車)用などの次世代半導体の素材として需要が急増しつつある。ゲルマニウムも中国に世界埋蔵量の四〇%があり、赤外線装置や光ファイバーなどのハイテク製品に必要な稀少金属である。

中国政府官僚（元商務次官）は、「これは反撃のはじまりにすぎない。もし中国にたいするハイテク規制をアメリカが引き続きエスカレートさせるならば、中国の反撃措置も一段とエスカレートさせることになる」とうそぶいた。中国はリチウムやコバルトなど、より重要な稀少金属の生産で大きな世界シェアをもっている。習近平政権は、これらの〝戦略物資〟の段階的な輸出規制によって西側の半導体産業・ハイテク産業に音《ね》をあげさせ、もってアメリカの対中規制に風穴を開けようとしているのである。

## バイデン政権による異次元の対中半導体封鎖

昨年の十月七日に、バイデン政権は、それまでの水準をはるかに超える強烈な対中国半導体規制を決定した。

その特質は第一に、ＡＩ（人工知能）やスーパーコンピュータなどに使用される高性能半導体（ロジック半導体のばあい回路線幅14～16ナノメートル以下の微細半導体）製品だけでなく、その製造装置や素材・部品やメンテナンス（サービスマンの派遣）、アメリカ国籍の技術者の就労などのすべてを含む包括的な規制措置であるということだ。製造装置では、最重要な露光装置だけでなく成膜装置（シリコンウエハーに薄膜をつける装置）の輸出にも規制を加えた。

第二に、中国メーカーにとどまらずＴＳＭＣ（台湾積体電路製造）や韓国サムスン電子などの外国資本の中国工場への輸出をも対象にしていること。

第三に、日本やオランダなどの同盟国の企業が生産している半導体製造装置についても、それがアメリカ製の部品や材料を使用していれば対中輸出を禁止するとしていることである。

このようなバイデン政権のなりふりかまわぬ禁輸措置は、中国による軍民両用の先端半導体の製造を絶対に許さないというアメリカ権力者の意志を剥きだしにしたものにほかならない。

すでにアメリカ政府は、昨年八月に成立させたCHIPS法（先端半導体の米国内工場建設に莫大な補助金を供与する法律）のなかに、補助金供与の制限事項として中国立地の先端半導体工場の新規投資および拡張を今後十年間禁止するという措置を盛りこんだ。これによって、アメリカ政府から補助金を受けて米国工場の新設を進めているTSMCやサムスンは、中国工場への追加的投資や拡張ができなくなった。〔ただし、これについては「一年間の猶予」が付けられた。〕

ところが、このCHIPS法の成立と時を同じくして、中国のSMIC（中芯国際集成電路製造）が7ナノメートルの先端半導体の製造に成功した（二〇二二年七月）。これに慌てたバイデン政権は、十月に右のような新たな規制に踏み切ったのである。

同時にアメリカ政府は、日本やオランダの政府にたいしても、同様の対中規制措置をとることを強く要求した。これに応えて日本政府は、二〇二三年七月から、成膜装置・露光装置など二十三品目の対中輸出規制を開始した。オランダ政府も、世界でオランダのASMLだけが製造しうる最先端のEUV（極端紫外線）露光装置、さらにSMICが今回使ったとされる一世代前のDUV（深紫外線）露光装置の対中輸出を禁止した。

中国半導体産業は、製造工程の要所をなす露光装置・成膜装置についてはほとんど輸入に頼っており、このような米・日・蘭の新たな規制によって、中国における先端半導体の生産は壊滅的な打撃をこうむることになった。〔新たな先端半導体工場の建設がことごとくストップしたと言われている。〕

この日・蘭を従わせてのアメリカの対中規制は、その包括性と拡張性において、まさしく中国半導体産業の〝糧道を断つ〟ような、従来とは異次元の半導体封鎖にほかならない。

## ハイテク軍拡競争と連動する激烈な攻防戦

バイデン政権によるこのような対中半導体封鎖＝包囲網づくりは、NATO・AUKUS・米日韓軍事同盟などを軸とする対中・対露のグローバル核軍事同盟の構築と一体のものであり、こんにちのハイテク兵器開発競争での中国の猛烈なキャッチアップを阻止するためのそれである。

こんにち米・中間の核戦力強化競争において、いわゆるゲームチェンジャーとなる高度技術、たとえばAI、極超音速ミサイル、量子コンピュータ・量子暗号通信、5G(第五世代高速移動体通信)などの開発において、中国は明らかにアメリカに先行したり追いついたりしている。だが中国は、それらのAIシステムやハイテク兵器の核心を形成する最重要デバイス(電子部品)たる先端ロジック半導体を自前で生産する能力をもっておらず、そのほとんどを輸入に依存してきた。バイデン政権は、この先端半導体自給能力の欠損を「中国のアキレス腱」とみなし、その軍事的・技術的な擡頭を抑えこむために、右のような禁輸措置を波状的に仕掛けているのである。

バイデン政権のこの相次ぐ規制強化にたいして習近平政権は、今年五月に、米マイクロン・テクノロジー製の半導体について国内の重要インフラ用としての調達を禁止する、という報復措置を実施した。それにつづいて実施されたのが、今回のガリウムなどの輸出規制なのだ。

この中国の報復措置発動直後の八月九日に、バイデンは、半導体・量子技術・AIなどの軍民両用技術三分野でのアメリカの企業・個人による対中国投資を禁止するという新たな大統領令に署名した。

かくしていま、〝米・中半導体戦争〟は、日本・EU・台湾・韓国などのアメリカの同盟諸国をも巻きこみつつ、日増しにエスカレートしているのだ。

もちろんこうしたバイデン政権による対中半導体規制のさらなる強化は、アメリカ半導体産業にとっては〝諸刃の剣〟になりかねない。

じっさい、昨年の10・7規制にたいして、AI用半導体のトップ企業であるエヌビディアのCEO＝ジェンスン・ファンは、こう不満をぶちあげた。「半導体をめぐるワシントンと北京との争いがエスカレートしたら、アメリカ・ハイテク産業には甚大な損失になる。」「中国がアメリカから半導体を買うことができなければ、彼らは自力でつくるだけだ」

と。さらに今年の七月十七日にはアメリカ半導体工業会（ＳＩＡ）が、「過度に広範囲な規制は、アメリカ半導体業界の競争力を奪い、中国からの報復を招く」という声明を発して、バイデンに「慎重な対応」を求めた。彼ら独占資本家たちは、市場としても製造拠点としてもすでに不可欠な存在になっている中国との関係を断ち切るならばアメリカ半導体産業じしんの首を絞めることになる、とバイデン政権に異を唱えたのだ。このような反発に直面したバイデン政権は、これを抑えるために「アメリカの対中規制は安全保障分野に限ったもので、それ以外の分野では中国とデカップリングはしない」（財務長官イエレン）と言明し、対象はあくまでもハイテク兵器開発と直結している先端半導体である、とおしだしているのである。

たとえ対中規制によって米ハイテク産業が多大な返り血を浴びたとしても、「アメリカの安全保障」そのものにかかわるＡＩや量子関係などのハイテク軍拡の分野では中国の先行を絶対に許さない、という構えで突っ走っているのが、バイデン政権なのだ。そのためにこそこの政権は、中国による先端半導体の自力開発を阻止するための強力な諸規制を相次いでうちだしているのである。

〔補〕

（１）ここで言う「半導体」とは、正確に記せば「半導体集積回路」のことである。半導体集積回路には、その性質や用途によって、①コンピュータなどの演算処理をおこなうロジック半導体、②データの一時記憶や保存をおこなうメモリー半導体、③電力の制御などをおこなうパワー半導体、④アナログ信号をデジタル信号に変換するアナログ半導体、⑤光を電気信号として取りこむイメージセンサーなどがある。

（２）一般に半導体の性能は、回路の線幅が微細であるほど高い。線幅が微細であればあるほど、一定面積のチップに搭載できるトランジスタ（素子）の数を増やすことができ、またチップのサイズを小さくすることができる。しかもそのぶん処理がヨリ高速になり、消費電力も少なくてすむ。このゆえに世界の半導体メーカーは、このかん回路線幅の微細化を競ってきたのである。

（3）アメリカ政府が主要に規制の対象としている「先端半導体」とは、ロジックの場合、この回路線幅が14～16ナノメートル以下の微細な製品である。こうした先端半導体は、AI、自動運転、5G、量子技術などの開発・実用化を進めれば進めるほど必要となる。だからこそバイデン政権は、中国による「先端半導体国産化」を封じるために躍起となっているのである。〔ちなみに日本のメーカーが製造しているロジック半導体で最も微細な製品は、ルネサスエレクトロニクスの40ナノメートルである。〕

（4）米政府は、こうした最先端品でない、回路線幅の広い旧世代の半導体デバイス（「レガシー半導体」と呼ばれている）については規制の対象に入れてはいない。それゆえに現時点の中国半導体産業は、EV化で需要が増大しているパワー半導体などのレガシー半導体の分野で世界市場を「制覇」するために増産ラッシュをかけているのである。

## B 「シリコンアイランド」をめぐる角逐

げんざい世界で供給されている先端半導体（とくに5ナノメートル以下）の九〇%は台湾の受託製造企業（ファウンドリー）TSMCが製造している。アメリカも中国も、そして日本もまた、最先端のハイテク兵器やAI・自動運転などの開発に必要な高性能半導体の供給は、そのほとんどをTSMCの受託生産に頼ってきたといって過言ではない。

それゆえにいま、アメリカの新たな対中半導体封鎖のもとで、「シリコンアイランド」としての台湾が、いよいよ米・中激突のホットスポットと化しているのである。

### 台湾併呑の衝動を強める習近平中国

このかん中国・習近平指導部は、半導体など先端科学技術の「自立自彊」なくして「社会主義現代化強国建設」の成功はありえない、と叫びたててきた。けれどもいくらかけ声を大きくしても最先端半導体にかんするかぎり、自力での製造はきわめて困難となりつつある。それを製造するのに必要な設備・部品・技術者などのあらゆる要素がアメリカ（日・蘭）の包括的規制によってストップをかけられてしまったからだ。〔中国ＳＭＩＣが七ナノメートルの先端半導体を生産したとはいえ、それは一世代前の露光装置の改良によるものであり、それよりも微細な半導体は、オランダＡＳＭＬ製のＥＵＶ露光装置を使わないと製造できないと言われている。――後述〕

まさにそれゆえに彼らにとっては、目と鼻の先にある台湾は喉から手が出るほどに欲しい「宝島」なのである。もしも台湾を香港のように併呑し、その半導体産業を支配することができれば、みずからの「アキレス腱」はいっきに解消する。それだけでなく、逆に米・欧・日などの帝国主義各国の経済・社会・軍事にたいする〝生殺与奪〟の力をもつことができる。だからこそ習近平指導部は、アメリカの対中半導体規制が強まれば強まるほど、ますます台湾併呑への衝動を強めているのだ。これにたいしてアメリカ・バイデン政権は、中国による台湾制圧が同時に先端半導体の自国への供給途絶を意味するがゆえに、なんとしてもそれを阻止するための米台共同の軍事体制の構築と「一つの中国」政策をかなぐり捨てての台湾・民進党政権にたいする支援に狂奔しているのである。

## 激化するＴＳＭＣ誘致合戦

台湾危機の切迫に直面して、いま米・日・欧などの各国権力者が競いあっているのが、ＴＳＭＣやサムスンの最先端工場の自国内への誘致であり、それをもテコとしての先端半導体の域内生産体制の構築である。

バイデン政権は、一兆円を越える補助金を投じて、ＴＳＭＣのアリゾナ工場（二〇二四年稼働、３ナノメートルのロジック半導体を量産予定）とサムスンのテキサス工場（同、ロジックとメモリー）の建設を支援している。アメリカでの工場建設費用や人件費を計算すれば海を越えて輸入したほうがはるかに安いにもかかわらず、バイデン政権が国内誘致に必死になるのは、いうまでもなく「台湾有事」に備えるためである。ＴＳＭＣの創業者モーリス・チャンは次のように明言した。「台湾海峡で戦争が起きなければ、アメリカで半導体生産を増やす努力は無駄で高コストな徒労となる」、と。

日本政府も、〝有事に備えての経済安全保障を強める〟という観点からＴＳＭＣの国内誘致をおしすめ、その熊本工場の新設に莫大な補助金（四六〇〇億円）を供出している。（註）

ドイツもまた、ＴＳＭＣとのあいだで、ＥＶ用の車載半導体の量産工場をドレスデンに建設することで合意した。

ロシアのウクライナ侵略と台湾危機に震撼させられた帝国主義各国権力者は、先端半導体製造の台湾への一極集中が「国家安全保障」上の最大のリスクと化していることに気づき、ＴＳＭＣ工場の域内誘致をはじめとする製造拠点の確保とサプライチェーンの再編を大慌てで開始したのである。そのためにいま各国の政府・経済界の代表団は、競いあうようにして〝台湾詣で〟をくりかえしているのだ。

**註**　それと同時に岸田政権・経済産業省は、〝日の丸先端半導体〟開発の夢を追いはじめた。日本版半導体ファウンドリー・ラピダスの設立（二〇二二年八月）がそれである。トヨタ、ＮＴＴ、ソニーなどの大手八社が「出資」する形式をとっているとはいえ、このラピダスは、その資金のほとんどを政府が拠出することを前提として設立された国策会社である。

経営陣は「二〇二七年までに米ＩＢＭが設計した2ナノメートルの最先端半導体を量産化する」と大言壮語している。だが、最も微細でも40ナノメートルの製品を作るメーカーしか存在しない日本で、とつぜん「2ナノの製品を量産化する」などと大風呂敷を広げたとしても、それを担いうる技術者（とりわけ微細化に必要なＥＵＶ露光装置を使いこなせる技術者）は皆無に近いのだ。ところが、なんの技術的成算もないこの計画に、岸田政権は何兆円もの血税を注ぎこもうとしているのである。

## 蔡英文政権のシリコン・シールド戦略

台湾・蔡英文政権とTSMC経営陣は、こうした各国の誘致要請に一定程度応えつつも、同時にいま、最先端の半導体工場を国内で次々に新増設している。中国による軍事侵攻がおこなわれたときにアメリカが台湾防衛のために馳せ参じざるをえない担保――これを彼らは「シリコン・シールド（楯）」と呼んでいる――とするためである。

TSMCをはじめとする台湾半導体産業こそが「護国神山（国の守り神）」であるとみなしているのが彼らであり、各国の要請に従って最先端プロセスを海外に流出させてしまえば、「シールド」の効果が弱まることを重々わかっている。それゆえにTSMC経営陣は、3ナノメートル、2ナノメートルといった最先端の製造ラインを猛烈な勢いでいま国内に新増設し、そのうえでセカンドライン以下の工場を海外につくろうとしているのである。ただしアメリカの新工場だけは、バイデン政権の強力な要請と巨額の補助金とひきかえに3ナノメートルのラインを敷設することを決定した。――このような海外工場の新設は、企業としてのTSMCにとっては、「台湾有事」に備えてのリスク分散化としての意味

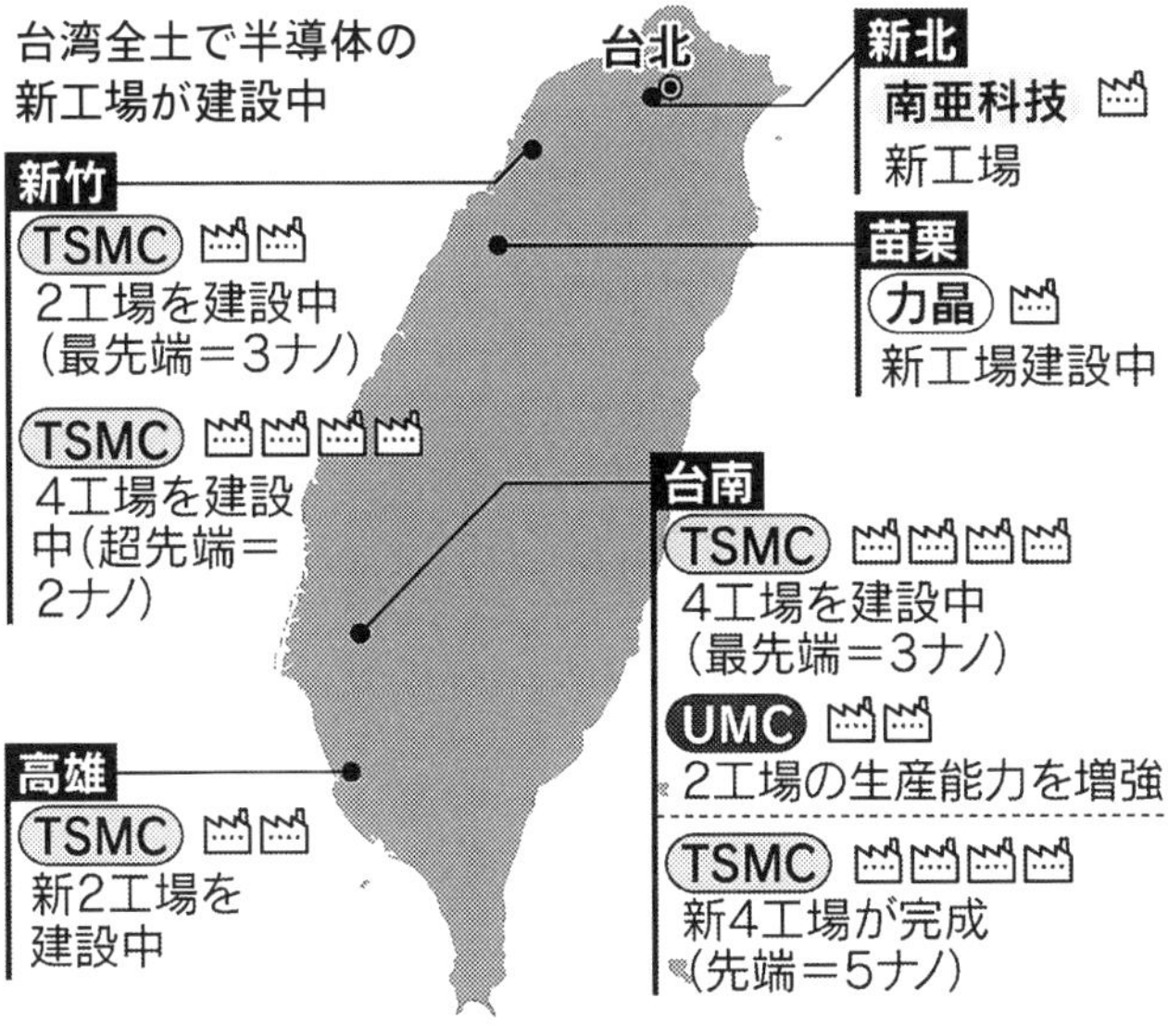

をもっている。

このように台湾・蔡英文政権（およびTSMC経営陣）は、中国の台湾侵攻にたいしてアメリカに台湾を守らせる「保障」として、最先端製造ラインを台湾国内に残すという「シリコン・シールド」戦略を護持している。同時にこの政権は、もしも中国が軍事侵攻を開始したら台湾にある半導体工場をみずから破壊する、という「焦土化」方針をちらつかせて習近平指導部を牽制してもいるのだ。

アメリカ政府は、この「シリコン・アイランド」としての台湾を守りぬくために、蔡英文政権にたいする政治支援と軍事援助を急速に強化している。これにたいして中国は、「台湾併呑」を射程にいれて、台湾海峡での中国海空軍の威嚇的軍事行動や、サイバー攻撃やフェイク拡散の情報戦などをますます強めているのである。

このようなかたちで、台湾をめぐる米・中の攻防はその危機の度合を螺旋的に昂進させているのである。

## C　中国包囲の半導体アライアンスの形成

アメリカ・バイデン政権の半導体戦略の第一の柱が中国の先端半導体製造を阻止する〝兵糧攻め〟であるとすれば、第二の柱はTSMCの誘致などをテコとした先端半導体の国内生産体制の再構築である。そして第三の柱が、アメリカを中心とする西側同盟諸国による先端半導体のサプライチェーンの構築である。

### 「Chip4」結成への突進

バイデン政権が、アメリカ中心の西側半導体サプライチェーン構築の要として位置づけているのが、米・日・韓・台の半導体アライアンス＝「Chip4」の結成である。

すでにのべたように先端ロジック半導体の製造に

かんする世界シェアは、ファウンドリーとしてのTSMCとサムスンの二社がほぼ独占している。アメリカは、インテル、クアルコム、AMD、ブロードコム、エヌビディアなどの世界有数の半導体企業を抱えているが、インテル以外はいずれも工場を持たないファブレス企業である。けれども、その設計技術はいまも世界の最先端にある。

これにたいして日本は、先端ロジック半導体の分野では生産能力を喪失して久しいとはいえ、パワー半導体やイメージセンサーなどレガシー半導体の製造では国際競争力をもっている。さらに諸々の半導体製造装置、素材(シリコンウエハー)、材料(フォトレジスト等)、パッケージング(実装)などの要所をなす分野で、高い世界シェアをもつ企業を多く抱えている。

そして韓国は、高性能ロジック半導体の製造ではサムスンがTSMCに次ぐ量産能力を有し、メモリー半導体でも、サムスンとSKハイニックスを併せて世界一のシェアをもっている。

これらアメリカ(設計と販売)、日本(製造装置や素材)、韓国(メモリーとロジック)、台湾(ロジック)の四ヵ国の関連諸企業を束ねて、対中包囲の半導体サプライチェーンを構築するというのが、バイデン政権の戦略なのである。

四月に訪米した韓国大統領・尹錫悦は、バイデンとのあいだで対北朝鮮・対中国の米韓日三角軍事同盟の強化を誓約するとともに、対中国の半導体包囲網＝「Ｃｈｉｐ４」に条件つきであれ参加することを約束した。韓国半導体産業は、中国を最大の顧客とし、現地に大規模な工場を保有している。このゆえに韓国政府はこのかん米政府からの「Ｃｈｉｐ４」への参加要請に明確な回答をしてこなかった。だがいまや「アメリカをとるのか中国をとるのか」という二者択一を迫られて、尹政権は、それを渋しぶ受け入れたのだ。――もちろん中国における韓国企業の利益を守りぬくための様々な〝抜け穴〟的措置をアメリカ政府に容認させながらである。

## ＥＵ・オランダの囲い込み

バイデン政権が策す西側半導体サプライチェーンづくりの第二の要は、ＥＵ諸国との連携・協力である。

ＥＵ内の半導体製造体制は日本以上に脆弱であるが、しかし先端半導体の製造に欠かすことのできない重要企業を有している。オランダの製造装置メーカーＡＳＭＬである。

集積回路をシリコン基板上に形成するには、写真と同じような露光（リソグラフィ）技術を使うが、現在もっとも微細な5ナノメートル以下の回路の焼き付けには「ＥＵＶ露光」という最先端の技術を必要とする。この露光装置をつくれるのは、世界で唯一ＡＳＭＬだけなのだ。〔かつて露光装置の市場で世界のトップシェアを争っていたニコンやキヤノンはこのＥＵＶ装置の開発ができずに第一線から脱落した。〕ＡＳＭＬのＥＵＶ露光装置がなければＴＳＭＣといえども最先端製品をつくれない。また中国は、このＡＳＭＬからのＥＵＶ装置の輸入が止められたがゆえに最先端半導体をつくれなくなった。

バイデン政権は、このオランダＡＳＭＬやそれと連携するベルギーの研究機関ｉｍｅｃをも、みずからが構想する西側半導体サプライチェーンに組みこもうとしている。これにたいしてＥＵ諸国は、〝過度な対中排除〟とならないように警戒しつつ、「デリスキング（リスク緩和）」と称する対中経済戦略にもとづいて、米・日と協力しての西側半導体サプライチェーンづくりを進めようとしているのである。〔なお日本のソフトバンクの傘下にあるイギリスのアームは、半導体回路設計の特許で独占的地位をもっている。アメリカ政府が、このアームをも西側サプライチェーンのなかに組みこもうとしていることは言うまでもない。〕

### D 「ハイブリッド戦争」と先端半導体争奪戦

これまでアメリカ政府と半導体独占体は、半導体サプライチェーンの起点＝設計と終点＝販売という要所をみずからがおさえ、そのうえで各工程をコストの安い台湾・韓国・中国などに配置してコントロールする、というグローバリズムにもとづく戦略を採ってきた。だがコロナパンデミックとウクライナ侵略、そして台湾危機の切迫のもとで、このような戦略が完全に裏目に出たことを彼らはつきつけられた。

「経済のグローバライゼーション」のなかでアメリカが「世界の工場」として位置づけ利用してきた中国は、そこから高度技術を摂取し盗みとり、これを基礎にして莫大な国家資金を投入して自国の半導体産業・ハイテク産業の急成長をはかってきた。それだけでなく、アメリカじしんが先端半導体の製造をもっぱら台湾や韓国に依存するという歪《いびつ》な構造をつくってしまった。――このことの「国家安全保障」上の〝危険性〟をつきつけられて戦慄したアメリカ権力者は、いま慌てて先端半導体などの高度軍民技術の囲い込みと同盟諸国を束ねてのサプライチェーンの再編・再構築に狂奔しているのである。

もしも戦争やパンデミックや大災害によって半導体の供給が途絶するならば、デジタル化が進展している自国の経済・社会・政治・軍事のすべてが致命的な打撃をこうむる。――このことに権力者どもはいよいよ危機感を募らせている。

とりわけ現代戦争において、先端半導体の確保は決定的な重要性をもっている。ロシアのウクライナ侵略がそうであるように、こんにちの戦争は、軍事・政治・経済・情報・サイバーなどのあらゆる領域（ドメイン）にまたがる「ハイブリッド戦争」の様相をとっている。それは、ＡＩやロボティクスなどの最先端の情報通信技術（ＩＣＴ）を駆使した戦いであり、この戦いを遂行する権力者にとって絶対に確保しなければならないデバイスが、先端半導体なのだ。だからこそ彼らはいま、「半導体を制する者が世界を制す」と口々に叫んで、先端半導体の争奪とその供給網の確保に躍起となっているのである。

米（欧・日）―中のあいだでいま展開されているこの先端半導体をめぐる激烈な争奪戦は、台湾をめぐる攻防ともあいまって、いつなんどき軍事的衝突へと発展・転化するやもしれぬ危険をはらんでいるのである。

（二〇二三年八月十五日）

# 地球大的規模の米軍主導演習（LSGE2023）

## 中露との戦争勃発に備え同盟国を総動員

アメリカ・バイデン政権は、米海軍・海兵隊の主導のもとに日本・フランス・カナダ・オーストラリアなどの同盟諸国軍を巻きこむかたちで、「全地球的な大規模紛争」を想定した世界的規模の軍事演習「大規模グローバル演習（LSGE）二〇二三」を二〇二三年五月十五日以来実施している（八月十九日までの予定）。この史上最大の軍事演習を主導している没落軍国主義帝国アメリカは、アジア・西太平洋への軍事的伸張いちじるしい中国とウクライナへの侵略・軍事占領を続けるロシアを抑えこむために、同盟諸国や「パートナー諸国」を巻きこみつつ、この両者にうち勝つ軍事体制をなんとしてもうち固めようとしているのだ。

### 三ヵ月にわたり七艦隊六空母打撃群を投入

この演習を米海軍は、NATO諸国をふくむさまざまな同盟国軍・「パートナー国」軍との共同訓練を次つぎと織り交ぜつつ、延々と連続的に実施している。——アメリカ・韓国・日本・オーストラリア・シンガポール・カナダの各フリゲート艦が「大量破壊兵器を運搬している疑いのある船舶を停船させ臨検する」作戦行動の合同訓練を朝鮮半島南方の済州島海域で実施したり(五月二十三〜三十一日)、フィリピン海でアメリカの原子力空母「ニミッツ」と「ロナルド・レーガン」が日本国軍のヘリ空母「いずも」およびカナダとフランスのフリゲート艦とともに対空・対艦・対潜作戦の訓練を展開したりする(六月九日)というように。

しかもこの演習は、とてつもない地球大的な規模で実施されている。——地球上の二十二のタイムゾーン(時差により経度一五度ごとに地球を二十四に分割した区画)にまたがる広大な海域を対象とし、世界に六つ存在する米海軍の戦闘司令部(インド太平洋・北方・南方・欧州・アフリカ・中東)すべての参加のもとに、七つの艦隊と六つの空母打撃群(ただし「ロナルド・レーガン」と「ニミッツ」の二個群を除く四個群は「ヴァーチャルでの参加」とされる)・総員二万五〇〇〇名を動員する、というように。

この演習は「大規模かつグローバルな紛争をシミュレートする」とうたわれている。バイデン政権・国防総省は、中国およびロシアとの通常兵力による全地球的な規模の戦争勃発に備えて、アメリカ同盟諸国はもとより「パートナー国」をも巻きこみつつこれにうち勝つ体制をつくりだすことを企図しているのだ。このことが、「LSGE二〇二三」演習のきわだった特徴をなしている。

アメリカ・バイデン政権はこの演習を、対中・対露の軍事包囲網を同盟国・準同盟国を巻きこみつつグローバルな規模で実地に形成していくための手段として位置づけ実施しているのだ。

## 海軍DMO・海兵隊EABOにのっとった実戦訓練

この演習は、地球大的な規模で実施されているとはいえ、アメリカ海軍が実動で参加させた「ロナルド・レーガン」と「ニミッツ」の二個空母打撃群すべてを日本列島・沖縄沖からインド洋にいたる西太平洋に集中させていることにみてとれるように、あくまでもインド太平洋海域を作戦上の最焦点にすえている。アメリカ海軍および海兵隊の司令官どもは、現時点における対中国戦争計画の基軸と位置づける海軍の作戦構想「ＤＭＯ（分散海洋作戦）」および海兵隊の「ＥＡＢＯ（遠征前進基地作戦）」構想にのっとり、参加各部隊の「練度」すなわち習熟の度合いを上げていくことをこの演習の眼目としているのだ。

アメリカ海軍司令部は、中国の台湾武力侵攻によって開始されると彼らが想定している西太平洋海域の大規模戦争においては、中国が東・南両シナ海の沿岸部および内陸部にはりめぐらせている二〇〇〇発ともいわれる中距離弾道弾や極超音速滑空ミサイルの射程圏内（一五〇〇キロメートル～五〇〇〇キロメートル）で戦うことが不可避であると考えている。それゆえ、従来の空母打撃群のように多数の艦船を密集して運用するのでは、戦火を交える以前に中国軍からのミサイルの飽和攻撃によって壊滅的な打撃を被ってしまう、と危機感をつのらせている。これを避けるために彼らは、空母をはじめ種々の艦船を第一列島線外の広大な西太平洋海域に分散して配置し、中国軍による探知・攻撃を避けながら、多方向から長距離ミサイルの飽和攻撃を中国軍艦船に集中するという戦法（ＤＭＯ）を現時点の基本戦術にしているのだ。

他方、海兵隊司令部は、この海軍の第一列島線外からの中国軍艦船にたいする長距離ミサイル攻撃を支援するために、有事には第一列島線上の島々に海兵隊部隊（新編された海兵沿岸連隊）をいち早く潜入させ、一時的な作戦拠点（ＥＡＢ＝遠征前進基地）を設ける。そこから中国軍艦船の位置を特定し、その目標情報を衛星回線をつうじてリアルタイムに後方の海軍主力部隊に送って、海軍部隊による第一列島線外からの精密攻撃を支援する。それとともに、この前進基地からもＨＩＭＡＲＳ（高機動ロケット砲システム）などの短射程兵器で中国軍の艦船や航空機への攻撃を、中国軍からの反撃を避けるために次つぎと位置を移動しながらヒット・アンド・アウェイ方式で仕掛ける。こうした戦法（ＥＡＢＯ）を基本戦術として採用している。

アメリカ海軍・海兵隊の軍人どもは、こうした現時点の対中国戦争計画にもとづく作戦構想を実地に訓練して、参加部隊の練度を高めるとともに、それをつうじてこれらの作戦構想それじたいの精密化をもはかることをねらって、この一大演習を強行しているのだ。

## ＡＩ化された指揮統制システムの〝実地試験〟

海軍・海兵隊の司令官どもがこの演習のねらいとしているのは、それだけではない。彼らはこの「ＬＳＧＥ二〇二三」演習の最後の十日間（八月九〜十八日）に、同盟国・「パートナー国」軍を除く米海軍・海兵隊だけによる「大規模演習二〇二三（ＬＳＥ二〇二三）」を位置づけている。この米軍独自の演習の隠された目的について、主催者であるアメリカ海軍艦隊司令部の指揮官は「戦略的挑戦者（中国）との作戦レベルから戦術レベルでの戦争において、わが艦隊群の全地球的なもろもろの作戦を相互にシンクロナイズする能力を評価することにある」とし、そのために「『プロジェクト・オーバーマッチ（圧倒計画）』（註）で開発しているソフトウェアを各艦船・部隊にインストールして、それを評価するのだ」と称している。

すべての部隊・艦船・航空機や偵察衛星・ドローンなどを無線データ回線（データリンク）でつなぎ、それらをつうじて時々刻々収集される厖大な軍事諸情報を海軍の「戦闘開発センター」（バージニア州ノーフォーク海軍基地に所在）に集約してＡＩ（人工知能）により瞬時に解析する。これをつうじて、「敵」の位置・移動方向・速度や規模・兵装などを把握し、全世界に展開する各部隊にそれぞれが優先すべき攻撃対象の諸データとともに、攻撃に使用すべき兵装の候補や射撃のタイミング・照準情報などの戦術データを瞬時のうちに伝送する。――こうした戦闘指揮管制の〝全自動化〟ともいうべきＡＩ化された指揮統制システムを、アメリカ海軍・海兵隊司令部はいま開発しているのだ。これを実際に運用して指揮官たちを習熟させるとともに、システムそれじたいの機能をも高度化していくために、彼らはこの全地球的規模の大演習を絶好の〝運用試験〟と位置づけて強行しているのだ。

核軍事力の分野においてもネオ・スターリン主義中国（およびロシア）に猛追され、もはや米軍が単独で太刀打ちすることが困難になったがゆえに、バイデン政権はいま「統合抑止」の名のもとに、米日韓やＡＵＫＵＳ（米英豪）の同盟諸国とはるか西方のＮＡＴＯ諸国さらには種々の「パートナー諸国」をも総動員して、対中国（対ロシア）の軍事包囲網を形成することに躍起となっている。これら諸国との連携を基礎として対中国戦争を優位に戦うために、軍事戦術上において「分散海洋作戦」だの「遠征前進基地作戦」だのといった〝新戦法〟をひねりだすとともに、ＡＩを頼みに情報収集・戦況分析・意志決定の全過程を高速化することにより、なんとかして〝勝機〟をみいだそうとあがいているのがアメリカ帝国主義軍隊の元締めである国防総省の官僚どもなのだ。

——これこそは、追いつめられた没落軍国主義帝国のまさに〝苦肉の策〟いがいの何ものでもありえない。そして、こうしたアメリカ・バイデン政権の対中国対抗策それじしんが、東アジアにおける熱核戦争勃発の危機をいよいよ高めるものにほかならないのだ。没落帝国主義権力者どもの対中国戦争計画にもとづく戦争準備を断じて許すな！

**註**　厖大な軍事諸情報の収集・解析と各級司令部における戦況判断の形成、それらをふまえた司令官の作戦指針の策定支援、決定された作戦指針の各部隊指揮官や射撃手への伝達——こうした戦闘指揮統制のプロセスそれじたいを高速化することを、アメリカ海軍は死活的に重要であるとみなして、そのための技術開発を急いでいる。そうした追求の環をなすのが、ＡＩをもちいた戦術レベルのコンピュータ・ネットワークを構築する計画である「プロジェクト・オーバーマッチ」だ。この計画それ自身が、国防総省の推進する全軍種横断の「統合全ドメイン指揮統制プロジェクト（ＪＡＤＣ２）」の一構成部分をなすものと位置づけられている。

（二〇二三年七月二十七日）

屋　宜　健　児

# 福島第一原発
# 放射能汚染水の海洋放出弾劾!

田辺敏男

二〇二三年八月二十四日、岸田政権・東京電力経営陣は、福島第一原発の敷地内に保管してきた放射能汚染水の海洋放出にふみきった。「廃炉をすすめ、福島の復興を実現するためだ」と称して、漁業者をはじめとする労働者・人民の圧倒的な反対の声をふみにじったのだ。岸田政権が「処理水」(註1)と称する水の中には、なお大量のトリチウムをはじめとする放射性物質が残留している。この汚染水を何十年にもわたって海洋に放出することが、労働者・人民に重大な健康被害をもたらすことは確実である。そして漁業・農業・観光業などにたずさわる人民の生活破壊――これは「風評被害」などではない――をもたらすことも明白である。われわれは、福島第一原発の大事故をひきおこした張本人どもの「福島の復興」の名によるこの暴挙を満腔の怒りをこめて弾劾する。

ロシアのウクライナ侵略を発火点とする米―中・露角逐の一挙的激化のもとで、岸田政権は、日本帝国主義の生き残りをかけて「エネルギー安全保障」と日本の潜在的核兵器製造能力の強化のために、原子力開発の積極的推進をうちだしている。原発・核開発をさらに強力におしすすめるためにこそこの政権は、放射能汚染水の海洋放出をもって、福島第一原発の事故処理の進展＝「福島の復興」をアピールしようとしているのだ。

放射能汚染水の海洋放出反対！　原発再稼働・新増設を阻止せよ！　今こそ原発・核開発反対闘争の高揚をかちとろう！

## 漁業者との〝約束〟を反故にして放出を強行

首相・岸田文雄は、海洋放出を最終決定した関係閣僚会議（八月二十二日）の前日に、全国漁業協同組合連合会会長らを首相官邸に呼びつけて放出に同意するように迫った。「福島の復興」という大義名分をふりかざし、「風評被害対策」と称する基金（海産物の冷凍保存費用支援などに三〇〇億円、漁業継続支援に五〇〇億円の計八〇〇億円）の創設をもって「セーフティネット」を整えたとおしだし、これ以上政府決定に逆らうことは許さないと恫喝したのである。

これにたいして全漁連会長は、あくまでも「反対に変わりはない」とつっぱねつつも、「安全性への理解は深まってきた」と言わされた。この全漁連会長に強要した「理解」という言葉をとらえて岸田政権は、海洋放出への「関係者の理解を得た」などと強弁しているのだ。

政府・東電経営陣は、二〇一五年に福島県漁連にたいして、福島第一原発の巨大タンクに保管されている放射能汚染水について、「関係者の理解なしには、いかなる処分も行わない」と文書で回答している。岸田政権は、全漁連会長の「安全性」への「理解」という言葉を、海洋放出への「理解」＝了承と意図的にすりかえ、放出を強行したのである。

海洋放出を回避するための放射能汚染水の保管方法については、モルタル固化などの様ざまな方策が提案されてきた。現在もなお一日九〇トンずつ増えつづけている汚染水問題を抜本的に解決するために、地下水流入を防止する地下ダム方式なども提案されてきた。こうした対策をとることをいっさい退けて、〝海洋放出ありき〟の姿勢をとってきた政府・東電経営陣、彼らにたいする福島県人民を初めとした労働者・人民の怒りはいよいよ高まっている。

福島県漁連会長は、東電は「約束を果たしていない」と、今後とも放出反対の姿勢を貫く意志を表明した。こうした福島の空気を承知していたがゆえに岸田は、キャンプ・デービッドでの米日韓首脳会談から帰った翌日の八月二十日に福島第一原発を視察しながらも、地元関係者にはいっさい会わずに帰京し、放出決定を事後的に通告したのであった。

われわれは、こうした強権的な手口でおこなわれた海洋放出決定を弾劾し、海洋放出反対の闘いをさらに推進していくのでなければならない。

〔中国・習近平政権は、岸田政権が海洋放出にふみきった八月二十四日に、「海洋は全人類共通の財産、日本は無責任だ」と非難して、日本からの水産物輸入を全面的に停止する措置を発表した。自国の原発から大量にトリチウムをタレ流していることにはほおかむりしたうえで、日本の漁業関係者を痛めつける反日制裁にうって出たのだ。この制裁は、岸田政権がバイデン政権の要請を受けて半導体製造装置の対中輸出規制にのりだした(七月)ことや、中国主敵の米・韓との三角軍事同盟の強化にのりだしていることへの報復にほかならない。〕

## 「デブリ取り出しの作業場作り」という大ウソ

政府・東電経営陣は、「廃炉をすすめるためには海洋放出は避けて通れない」と主張し、海洋放出に反対することは〝廃炉＝福島の復興〟を妨害することであるかのように描きだす。放出に反対する者にたいして、〝福島の復興のために多少のリスクは我慢しろ〟と恫喝しているのだ。

彼らは、「核燃料デブリ取り出しのための作業場や取り出したデブリを保管する用地を確保する」ために、放射能汚染水を保管している巨大タンクを撤去する必要があるという。だがこれこそ、汚染水の海洋放出を正当化するためにデッチあげた口実以外の何ものでもない。

そもそも、デブリを取り出す展望などまったくたっていないのが福島第一原発の現状なのである。東電と国際廃炉研究開発機構（ＩＲＩＤ）は、七月十四日に、２号機のデブリ取り出しに使用するロボットアームを、さもさもらしくマスコミに公開した。あたかも、デブリ取り出しに向けた作業が着々と進展しているかのようにおしだした。しかし、今年度後半に予定されている最長二二メートルに達する巨大アームを使った作業で、一回に取り出すのはわずか一グラムである。これを数回おこなって数グラムのデブリを取り出してこの試験的作業は終りなのである。デブリの組成を分析するための試料の取り出しがこのロボットアーム使用の目的なのであって、この延長線上で、三基合わせて八八〇トンもあるデブリの取り出しができるはずもない。

政府・東電経営陣はこれをあたかも、廃炉に向けたデブリ取り出し作業が進展しているかのように宣伝し、もって汚染水の海洋放出を正当化しているのだ。この労働者・人民を愚弄するキャンペーンを断じて許すな。

## 「四十年廃炉」の虚構の上にたてられた海洋放出策

今なおデブリ取り出しの工法も決まっていないし、取り出したデブリの保管方法も保管場所も決まっていない（本誌第三二四号「東電福島第一原発『四十年廃炉』計画の破綻」参照）。いやそもそもいまデブリを取り出すことは犯罪行為と言うべきである。もしも原子炉の構造物や建て屋にへばりついたデブリを取り出すとするならば、放射性物質を大量に環境中にまき散らし、この作業に従事する労働者が大量に被曝することが避けられないからである。それゆえに、デブリを取り出さずに安定的に管理しつづける方策をうちたてることを提案している専門家もいる。

こうした方策を検討することもせず、政府・東電経営陣は「四十年廃炉」を言いつづけている。事故発生直後に福島県人民の怒りをかわすために口から出まかせでうちだした〝四十年後には事故現場を更地にして返す〟という虚構を今なお護持するために。

今日においては、原発推進派の学者が多数を占める原子力学会でさえも、廃炉は「一〇〇年のスパン」で考えるべきとしている。ところが政府・東電経営陣はこのことをおし隠して、できもしないし、やる気もないデブリ取り出しを、汚染水の海洋放出の口実としてもちだしているのである。

汚染水を三十年で流しきると彼らがうちだしているのも、事故発生から四十年という期間に合わせているだけなのである。だが今もなお原子炉建て屋には一日で九〇トンの地下水が流入している。一年で三・三万トンの汚染水が発生しつづけるのである。このままでは永続的に汚染水の海洋放出がつづけられることになるのだ。

放射能汚染水の海洋放出を停止せよ。

## ＩＡＥＡの報告書を錦の御旗にした安全キャンペーンのまやかし

政府・東電経営陣は、トリチウムによる「環境や生態への影響は確認されていない」と言う。ＩＡＥＡ（国際原子力機関）事務局長がトリチウムを大量に含んだ汚染水の海洋放出について、「国際的な安全基準に合致している」とうたった「包括報告書」を岸田に手渡した（七月四日）。これをもって岸田政権は、「科学的根拠にもとづいて、公正かつ厳正に分析をおこなったものだ」とおしだしている。

だが、ＩＡＥＡの分析・評価は恣意的なものであり、その「科学性」はニセモノである。

ＩＡＥＡの「報告書」は「放出による人間や環境への放射性物質の影響は無視できる」と言う。しかしここでは、放射性物質による内部被曝の問題が意図的に無視されているのだ。トリチウム水（ＨＴＯ）は通常の水（$H_2O$）と同様の化学組成であるがゆえに、人体のあらゆる部位にとりこまれてＤＮＡを傷つける危険性がある。このことが完全に無視されているのである。しばしば御用学者どもが〝トリチウムの出すβ線は弱いので紙一枚で防ぐことができる〟などと言うのであるが、これは外部被曝を論じているにすぎない。内部被曝の問題を隠蔽している

のである。（註2）

また、「薄めて海に流せば安全」などという神話は、水俣病をはじめとする公害の分析をつうじて、その誤りが科学的に明確にされてきたものなのだ。トリチウムにかんしても、食物連鎖（生物濃縮）によって放出時の濃度の二〇〇倍に濃度が上昇していた事例が報告されている。

そもそも、ＩＡＥＡなる機関は、「原子力の平和利用」を推進するために、アメリカ、ロシア、ＥＵ諸国、中国、日本などの権力者がつくりだしているものであって、いわば〝国際原子力村〟というべきものにほかならない。彼らは一貫して、放射線による内部被曝の問題を無視ないし過小評価してきた。もしもこのことを認めるならば「原子力の平和利用」そのものを中止しなければならないからだ。

日本だけでなく、中国、韓国、アメリカ、ロシアなどあらゆる国の原子力発電所からは、通常運転するだけで大量のトリチウムがタレ流されている。トリチウムの放出による被害を認めるならば、全世界の原発運転が危機に陥りかねない。それゆえにＩＡＥＡの官僚どもは、日本の岸田政権と口裏を合わせて「安全性」を強弁し、トリチウムを大量に含んだ放射能汚染水の海洋放出にゴーサインを出したのだ。

## 原発・核開発反対闘争の高揚をかちとれ

岸田政権がいま放射能汚染水の海洋放出にうって出ているのは、「原発事故処理の進展」「福島の復興」をアピールし、もって日本の原発・核開発に拍車をかけるためにほかならない。この政権は、ロシアのウクライナ侵略を引き金とする化石燃料価格の高騰・エネルギー危機を格好の口実として、福島第一原発事故以後に歴代政府がとってきた原子力政策を転換し、原発の積極的推進政策をうちだした。危険極まりない六十年超の老朽原発の再稼働や原発の新増設とそのための多額の公的資金の投入政策をうちだし、これらを実施するための法の整備をも先の通常国会で強行してきた。

日本帝国主義権力者は、米—中・露角逐の激化のもとで日本帝国主義の生き残りをかけて、「エネルギー安全保障・経済安全保障」の実現を掲げて原子力開発に狂奔しているのだ。しかも東アジアにおいては、朝鮮半島・台湾を焦点として米・日・韓―中・露・北朝鮮の軍事的角逐が熱核戦争勃発の危機をもはらんで激化している。こうした情勢のもとで岸田政権は、米日韓核軍事同盟の強化（アメリカの「拡大抑止」という名の核軍事体制の強化）に突きすすむと同時に、独自核武装の野望をたぎらせて、日本の潜在的な核兵器製造能力を強化するための核燃料サイクル開発に拍車をかけているのである。

　岸田政権の大軍拡・改憲攻撃を粉砕する反戦・反改憲の闘争と結合して、原発・核開発反対闘争の高揚をかちとれ！

　放射能汚染水の海洋放出反対！　原発再稼働・新増設反対！　すべての原発・核燃料サイクル施設を即時停止し廃棄せよ！

**註1**　福島第一原発の事故を起こした原子炉の建て屋からくみだした放射能汚染水は、まず放射性のセシウムとストロンチウムを重点的に除去し、さらに多核種除去設備（ＡＬＰＳ）で処理してタンクに保管している。政府・東電は、ＡＬＰＳで六十二種類の放射性物質を除去したあとに残っている放射性物質はトリチウムだけであるとし、これを「処理水」と呼んでいる。

　だが実際には、ＡＬＰＳで処理しても六十二種類の放射性物質が理論どおりに除去できているわけではない。現在タンクに保管されている一三四万トンの「処理水」の七割には、トリチウム以外の放射性物質（セシウムやストロンチウムなど）が排出濃度基準を超えて残っていることを東電じしんが認めている。東電は二次処理して放出するとしているが、具体的指針はうちだしていない。また処理水には六十二種類以外の放射性物質も含まれている可能性がある。

**註2**　トリチウムが人体にとりこまれたならば、遺伝をつかさどるＤＮＡを構成する水素と容易におきかわる。おきかわったトリチウムが$\beta$線を出してヘリウム3に変わると、ＤＮＡの化学構造が変化し、遺伝情報に変異が生じる。トリチウムの放出量が多いイギリスのセラフィールド再処理工場の周辺では、白血病や悪性リンパ腫が、とりわけ子どもたちに多発してきた。またトリチウムの放出量の多い玄海原発周辺では、原発に近づけば近づくほど白血病による死者数が多いというデータが示されている。

# 高浜1号機の再稼働弾劾！
## 岸田政権の老朽原発運転強行を許すな

関西電力は二〇二三年七月二十八日、運転開始から四十八年の日本最古の老朽原発＝高浜1号機の再稼働を強行した。この老朽原発の再稼働を強力に後押ししたのが、「GX脱炭素電源法」という名の原発推進法を成立させ(五月三十一日)、運転開始から六十年超の老朽原発も運転可能とした岸田政権にほかならない。この政権は原発の停止期間を運転期間に含ませないと明記した原発推進法の制定によって、二〇一一年一月以来十二年六ヵ月ものあいだ停止していた高浜1号機の運転を、なんと七十二年間も可能としたのだ。原発の積極的推進に舵をきった岸田政権は、危険きわまりない老朽原発の再稼働と長期運転に突進しているのである。

関電経営陣は、格納容器に鉄筋コンクリートの屋根をつけたとか、原子炉に水を供給するタンクの耐震補強をおこなったとかの「安全対策」を宣伝している。だが、規制基準に定められている難燃性ケーブルへの交換は一部でしかおこなわれていない。そもそも、中性子照射によって脆化がすすむ圧力容器は交換ができないのだ。とりわけ高浜1号機の脆化は他の原発に比してもすすんでいると専門家は指摘している。圧力容器が一挙に破壊する大惨事が勃発しかねないのである。

すでに関電が二一年六月に再稼働した四十年超の美浜3号機では放射性物質の漏洩などの事故が相次いでいる。にもかかわらず関電経営陣は、高浜1号機の再稼働を強行しただけでなく、さらに運転開始から四十七年の2号機も、この九月に再稼働しようとしているのだ。こうしていまや福島第一原発事故と同様の第二、第三の過酷事故発生の危険性が高まっているのである。

人類史上最悪の核惨事となった福島第一原発事故は、いまだなお収束の展望すらたっていない。今なお数万人の人民が避難を余儀なくされ、甲状腺がんや白血病などで苦しむ人々が増えつづけている。こうした状況をまったくかえりみることもなく、新たな核惨事を招きかねない老朽原発の再稼働に突進する岸田政権・関電経営陣を絶対に許すな。高浜原発1号機の再稼働強行を弾劾せよ！

## 使用済み核燃料問題の姑息な〝解決〟

高浜1号機の再稼働の認可をとりつけるために関西電力の社長・森望は、関電のすべての原発が立地している福井県の知事と面談し（六月十二日）、原発の稼働によって出た「使用済み核燃料の一部をフランスへ搬出する計画がある」ことを明らかにしたのであった。

福井県当局から、「使用済み核燃料の県外搬出の展望が示せなければ四十年超の老朽原発の再稼働は認めない」とつきつけられてきた関電は、福井県当局にたいして、「県外の中間貯蔵施設の候補地の選定を二〇二三年末までに回答する」「回答できない時は、高浜1・2号機と美浜3号機は運転停止する」と期限を区切っていた（二一年二月の経済産業相・梶山弘志と関電社長と福井県知事・杉本達治の三者会談）。だが、今年に入っても候補地が選定できず窮地におちいっていた関電に岸田政権が助け船を出した。フランス・マクロン政権との協議によって岸田政権がお膳立てしたのが、「使用済み核燃料の県外への搬出」の代替策としての「フランスへの搬出」策なるものにほかならない。

このフランスへ搬出するとされている二〇〇トン（ＭＯＸ燃料一〇トン・通常燃料一九〇トン）は、関電が貯蔵している使用済み核燃料の五％にすぎず、かつ一回かぎりのものである。にもかかわらず、「県外への搬出と同等の意義をもつ」「約束はひとまずはたされた」などと、関電社長・森（六月十二日）と経産相・西村康稔（六月十九日）はうそぶいているのだ。〔県民の反発を恐れる福井県知事・杉本は、「約束にはまだいたっていないという思いが強くにじみ出ている」などと曖昧な態度をとっている。〕

## 核燃サイクル開発のためのＭＯＸ燃料再処理への突進

この「使用済み核燃料のフランスへの搬出」策は、経産相・西村がフランス・エネルギー移送相とのあいだで交わした「原子力分野での日仏協力に関する共同声明」において合意したものだ（五月三日）。使用済みウラン・プルトニウム混合酸化物（ＭＯＸ）燃料を再処理するということは商業ベースでは海外でも初めての試みであり、日本がＭＯＸ燃料の再処理技術を獲得するためにも日仏共同で「実証研究」を進めることを企んでいるのだ。

この日仏の「共同声明」で合意したことにもとづいて電気事業連合会は、再処理の実績のあるフランスの企業に使用済みＭＯＸ燃料の再処理を委託して「実証研究」を始めることをすぐさま発表した（五月十九日）。取り出したプルトニウムは再びＭＯＸ燃料に加工したうえで日本にもどして搬出元の電力会社の原発でプルサーマル運転に利用することが企まれている（今回搬出する使用済みＭＯＸ燃料は、プルトニウム含有量が最も多い高浜原発３・４号機のものだ）。

この使用済みＭＯＸ燃料の再処理事業はきわめて高額であるがゆえに、個々の電力会社にとってはまったく採算がとれない。それを電力会社が実施しようとするのは、「核燃料サイクルの確立」という日本帝国主義国家の政策を護持しつづける岸田自民党政府の強力なテコ入れにもとづいているのである。そして、核燃料サイクル技術こそが、核兵器製造技術と直結しているのである。

ロシア・プーチン政権によるウクライナ侵略を契機にして世界的なエネルギー価格の急騰に危機感を高めた「資源小国」日本の岸田政権は、「エネルギー安全保障」を掲げて、「原子力の最大限の活用」に大転換した。岸田政権は、既存の原発を最大限稼働させつつ、さらに新増設や核燃料サイクル開発に突き進んでいるのだ。

老朽原発の運転強行を許すな！　すべての原発・核燃料サイクル施設を即時停止し廃棄せよ！　潜在的な核兵器製造能力の強化反対！　原発推進と一体の大軍拡を阻止せよ！

岡寺隆一

# 岸田式「福島創造的復興」策の犯罪性

## 有事における情報統制＝危機管理の研究を推進

岸田政権は、今、原子力政策を大転換し、原発運転期間延長・再稼働・新増設に突進している。二〇二三年五月三十一日には、「ＧＸ脱炭素電源法」を成立させ、「原子力基本法」に原子力利用の推進を

「国の責務」などと明記した。岸田政権は、独自核武装の野望をもたぎらせて、軍事大国化と一体で原発・核開発に狂奔しているのだ。

福島第一原発事故から十二年を経た今日、政府・東京電力の廃炉計画は完全に行き詰まり、「事故収束」が幻想でしかないことは誰の目にもあらわとなっている。岸田政権は、原発事故で高濃度に放射能汚染された「帰還困難区域」においても、ごく小規模の・したがってアリバイでしかない「除染」の実施をもって、次々と避難指示を解除し、住民に帰還を強制する棄民政策をすすめている。他方、原発事故による健康被害は増えつづけ、甲状腺がんやその疑いのある患者は三三九名にのぼる(註)。被災人民に塗炭の苦しみを強制しつづけているのが岸田政権なのだ。口を開けば「福島の復興なくして日本の再生はない」と称してきた首相・岸田文雄の政権は、「世界に冠たる創造的復興」の名のもとに、あろうことか、福島第一原発事故の被災地に、高放射能汚染環境下でも使用可能な軍民両用の技術諸形態の研究開発拠点づくりを、いま急ピッチですすめている。

福島の被災人民、日本の労働者・人民をふみにじるこの暴挙を絶対に許すな!

## 「福島のリスクコミュニケーションの意義」なるもの

四月一日に、岸田政権は、「福島国際研究教育機構(F－REI)」を、福島県浪江町での本部開所式に首相・岸田が出席して、発足させた。このF－REIこそ、軍事転用可能な先端技術の研究開発を、官軍産学共同ですすめるための〝司令塔〟にほかならない。(浜風通「福島に軍事技術開発拠点構築の策動」、本誌第二二四号参照)

F－REIは軍民両用技術の研究開発と同時に、「原子力災害に関するデータや知見の集積・発信」と称して、次のような研究をおこなおうとしている。「『福島の経験』を軸にした危機時のメディア・コミュニケーションのあり方についての研究の深掘りを進めるとともに、今後想定される大規模複合災害や新たな危機の形(貧困・疫病・紛争等)にも視野を拡げながら、総合的な研究を進める」「福島での知見を集積し、得られた知見教訓を国際機関等と連携し継続的に発展させる」（「中期計画」）、と。「新たな危機の形」に、あえて「紛争」を加えていることからしても明らかなように、これは原発事故のみならず、〝戦時〟をも想定しての危機管理の研究にほかならない。

「F—REI第一回　産官学ネットワークセミナー」（一月十三日）で講演した山下俊一（福島県立医大副学長）は、「福島におけるリスクコミュニケーションの意義」なるものを語った。その意味するものは、この男が福島原発事故後に実際におこなってきたことからして明らかである。山下は、原発事故直後から福島県各地を飛び回り「ニコニコ笑っている人には放射能は来ない」「健康はまったく心配しなくてよい」などと〝放射能安心・安全〟論を吹いて回り、かつ「福島県民健康調査」検討委員会の初代座長に就任して、多発する小児甲状腺がんについて「原発事故とは無関係」と強弁し被曝被害をもみ消してきた（註）。これこそ、〝原発事故（有事）対応のお手本だ〟というわけだ。この男のいうリスクコミュニケーションとは、「やっぱり原発は必要なんだということにコンセンサスをコミュニケーションでどうとっていくのかが非常に大きい」（『放射線リスクコミュニケーション』）と明け透けに語っているように、社会的混乱や政府批判の高まりを押さえこみ国策を推進していくためにこそ、政府の利害に沿った「リスク評価」を〝科学的〟と称して労働者・人民に押しつけ、他方、反対する者にたいしては〝非科学的・感情的〟とレッテルをはって封殺し、もって権力者の利害を貫徹する以外のなにものでもない。まさにこれが「福島の教訓」であり、これを有事における危機対応に活かすべき、というのだ。労働者・人民をばかにするのもいいかげんにしろ！

## 「避難しないことが福島の教訓」!?

また、同セミナーで講演した高村昇（長崎大学教授・原子力災害伝承館館長）は、「一律避難のせいで、病院の高齢者が亡くなり、長期避難を余儀なくされ、地域やインフラが壊れた。一律避難をしない場合はどうか、そういった論議を国際機関に提案していく」などとほざいた。

〝一律避難によって高齢者が亡くなり、インフラが破壊された〟とは何たる言い草か。労働者・人民の反対の声をふみにじり原発・核開発を推進した挙句の果てに、チェルノブイリ事故を上回る世界最悪の核惨事をひきおこしたのが政府・東電ではないか。取り返しのつかないほど福島の大地を放射能で汚染し、被災人民の健康と生活を破壊したこの政府・東電の大罪を不問に付して、「一律避難が被害を拡大した」などというのはデマゴギー以外のなにものでもない。

被災地を中心に建設される官軍
産学共同の研究・開発・教育施設

福島原発事故では、政府が、事故を起こした原発から放射能汚染度に応じて同心円状に避難区域を設定し、住民をその外側へ強制的に避難させた。この方式について〝社会が大きく混乱し政府批判も高まる〟〝国家の負担も大きすぎる〟とみなしているのが、政府権力者であり、その意を代弁する御用学者どもなのだ。一律避難による「インフラの破壊」や「社会不安の醸成」という社会＝国家の〝不利益〟に比べれば、労働者・人民の被曝被害などは「受忍すべきリスクだ」ということだ。なんたるデタラメか！

## 国際機関と共謀した新たな〝放射能安全神話〟の鼓吹

しかも高村は、これら「福島の教訓」にふまえた

「国際的ガイドラインをつくることで、国際貢献できる」などと提案している。IAEA（国際原子力機関）やICRP（国際放射線防護委員会）など〝国際原子力ムラ〟の中心機関との連携を掲げるF―REIは、「福島の教訓」と称して〝避難しない〟基準を、これらの国際機関と共謀してつくろうとしているのだ。

ロシアのウクライナ侵略を契機としたエネルギー危機のもとで、各国権力者は、いっせいに原発推進に舵をきり、熾烈な原発輸出競争をくりひろげ、新たな原発事故の危険性は飛躍的に高まっているだけではない。ウクライナを侵略したロシア軍は、稼働中のウクライナの原発を攻撃した。まさに、米―中・露の角逐が激化しているいま、原発事故や原発攻撃そして核戦争で、たとえ国土が放射能汚染されたとしても、一律避難させず労働者・人民に〝被曝を許容させる〟国際的基準をでっちあげようとしているのが権力者どもなのだ。これは、原発・核開発推進のための新たな〝放射能安全神話〟にほかならない。絶対に許すな！

大軍拡と一体の岸田政権の「福島創造的復興」策反対！　福島の被災地に、官軍産学共同の軍事研究拠点を構築する策動を許すな！　福島原発放射能汚染水の海洋放出弾劾！　被災人民と連帯し、原子力政策を大転換し原発・核開発に突進する岸田政権の打倒をめざしてたたかおう！

**註**　政府・福島県当局は、事故当時十八歳以下の福島県民約三八万人を対象にして甲状腺検査をおこない、二〇二三年三月現在、公表されているだけでも、甲状腺がんやその疑いのある患者は三三九名にのぼる。この検査結果を評価するのが「県民健康調査」検討委員会で、ここには「放射線の専門家」の名目で多数の御用学者が加わり論議を主導してきた。そして多発する小児甲状腺がんについて、「見つける必要のない微小ながんを発見する過剰診断が原因」といいなし、検査の縮小・廃止を策してきた。二二年に、自民党から参議院選挙に立候補するため退任した星北斗（福島県医師会副会長）にかわり、新たに座長に就任したのが高村昇（長崎大学教授）である。

二二年一月には、甲状腺がんを発症した十七歳から二十七歳の六名（のちに新たに一人加わって七名）が

「発症は原発事故による被曝が原因」として集団訴訟を提訴した。原告の一人は「同じように苦しんでいる他の甲状腺がん患者のためにも声をあげた」と訴えている。

# 福島第一原発　原子炉崩落の危機

## 新たな核惨事の危険に無対応の政府・東電を許すな

韮山一直

岸田政権は、労働者・人民の反対の声をふみにじって、ついに二〇二三年五月三十一日に、東京電力福島第一原発事故以降の日本の原子力政策の大転換を画するGX脱炭素電源法を可決・成立させた。危険極まりない老朽原発の六十年超運転をも可能とするこの法律を制定するために、岸田政権は原発の危険性を徹底的に隠蔽した。福島第一原発の事故原発が原子炉崩落の危機にあり、原発事故によって長きにわたる苦難を強いられている被災人民さらには日本の労働者・人民が、ふたたび新たな核惨事に叩きこまれる危機に直面していること。〈3・11〉は終わるどころか、原発事故の深刻さ・反人民性をいやというほどつきつけるこの事態を、原発事故を引き起こした張本人たちは隠蔽することに狂奔したのである。われわれは、彼らのこの策動を絶対に許すわけにはいかない。

　東京電力が、昨二二年五月にひきつづいて今年三月末におこなった福島第一原発1号機の、原子炉格納容器の水中ロボットを使っての内部調査によって、圧力容器が落下・崩壊する危機が一刻の猶予もないほどに高まっていることが明らかとなったのだ。

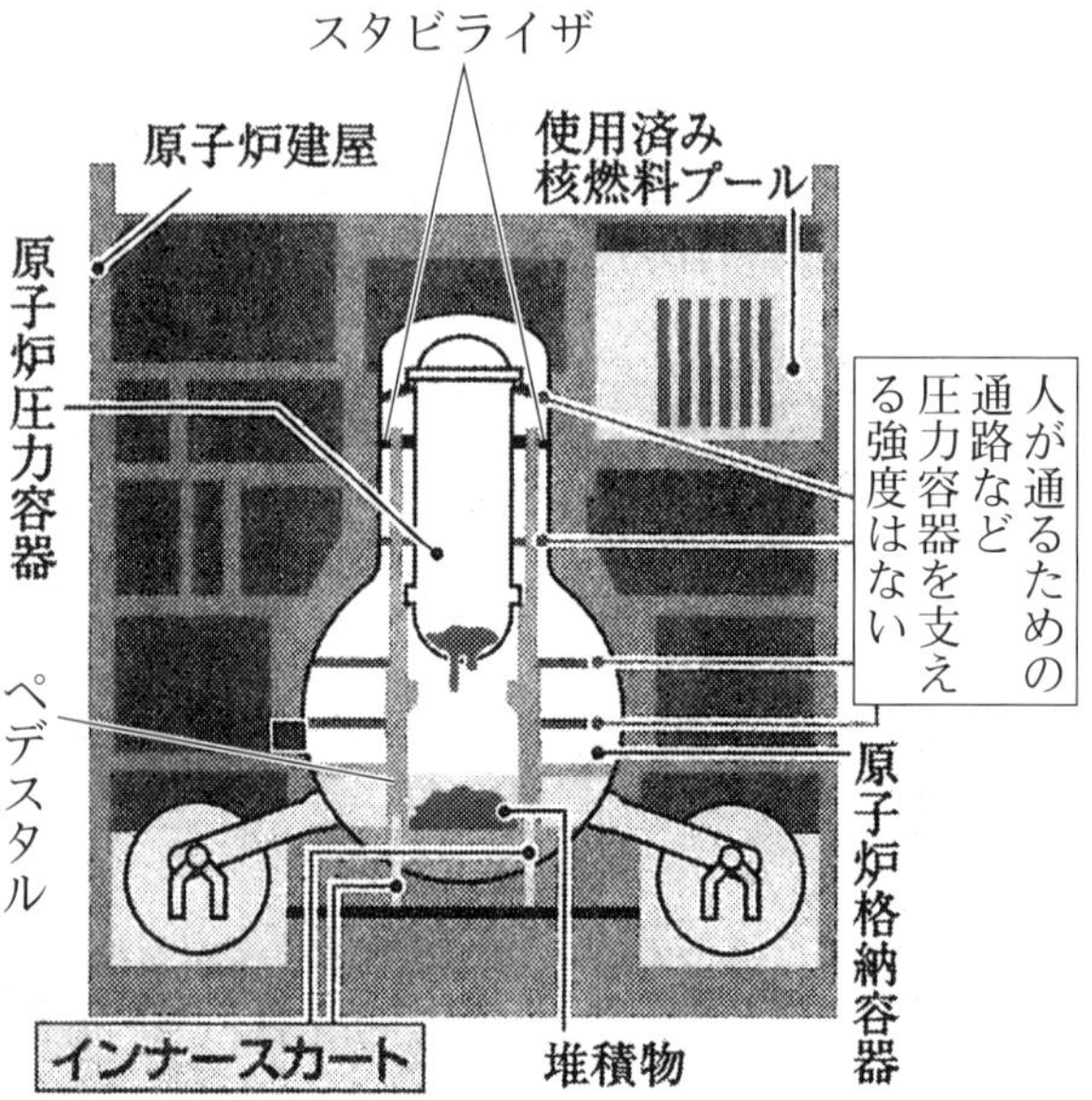


　すでに昨年の調査において、衝撃的にも、原子炉圧力容器を支える円筒形の台座（「ペデスタル」）が激しく損傷し、圧力容器を支えられなくなる危険性が極めて高いことが明らかとなった。鉄筋コンクリート製（厚さ一・二メートル、直径約六メートル、高さ八・五メートル）の台座のコンクリートが、事故時の高温の燃料デブリによって下部一メートルも溶けてなくなり、中の鉄筋がむきだしになっていたのだ（『解放』第二七三二号、浜風論文参照）。このときの調査は、台座の外側・四分の一周ほどの範囲であった。それが、今回の調査において、内側も全周にわたって鉄筋がむき出しになっていることが事実をもって明らかとなったのである。しかも圧力容器の底は、事故時の二〇〇〇度に達する溶けた核燃料によって大穴が開いてもいる。

　もはや三四〇ガル程度の地震によっても圧力容器

が崩落する危機にあるのである。そのときには、圧力容器の落下にともなって、これに接続された格納容器が破壊され放射性物質が大量に外部に放出される。圧力容器の崩落と連動して、原子炉建屋上部に設置された使用済み核燃料プールが損傷して水が流出し使用済み核燃料が溶融する。このプールは格納容器の外にあることからして、まき散らされる放射性物質の量は桁違いのものとなる。さらには再臨界の可能性さえある。すさまじい放射能禍に、まさに今、労働者・人民が叩きこまれてもおかしくない事態にたちいたっているのだ。

## 危険性を小さく見せかける東電経営陣

にもかかわらず、岸田政権と東京電力、原子力規制委員会は、この一年間、何をしてきたのか！ 事態を小さく見せかけて労働者・人民の危機感をおさえこむことにこそ狂奔してきたのではないか！

東電は、これほどの台座の損傷を目の当たりにしながら、なお、圧力容器が多少傾いたり沈下したりすることはあったとしても倒壊にはいたらない、したがって「著しい放射能被ばくのリスクを与えることはない」と強弁している。その根拠として並べたてていることは、まさに黒を白といいくるめるものにほかならない。

①圧力容器を水平方向に支える構造物（「スタビライザ」など）が健全だから圧力容器が落ちることはない、と。

――とんでもない。高さ二二メートルの圧力容器は事故時に一〇〇〇度以上に加熱されて二〇センチ以上も伸びたと推測されることからして、スタビライザな

福島第一原発１号機の原子炉格納容器内部の水中ロボット写真。台座が損傷し鉄筋がむき出し（３月29日）

どはこの伸びる力によって引きちぎられて、もはや何の役にもたたない。

②台座のコンクリートはなくなっているが、むき出しとなった鉄筋は「たわみ変形がない」から、これが支えてくれる、と。――いや、これもまた切断されてしまったことは疑いようもない。台座のコンクリートの厚みの中央には、一メートルの高さまで円筒状の鋼板の構造物「インナースカート」(註)が設置されているのだが、これが溶け落ちた高温のデブリによって加熱されて膨張した。そのときの万力のような力が鉄筋に加わったことによって。

③さらには、二〇二二年三月に福島県沖で発生した震度六強の地震をもちだし、その「強い地震にもペデスタルは耐えた」のだから大丈夫だ、と。――いやだからこそ、損傷はますます進んだのではないか！ そもそも、「耐えた」というその地震は、幸運にも(?)第一原発では震度六弱(二〇〇ガル程度)だったではないか。

④そして、もし圧力容器が沈下・傾斜したとしても格納容器内は「湿潤環境」、つまり湿っているので放射性ダストはたいして舞い上がらないから大丈夫だ、と。ふざけるな！

このように、東電は、高線量下ゆえに目視して確認できないことをいいことに、みずから偽装とわかりきっていることを並べたて、これをもとに数ヵ月かけて耐震性評価をおこなうという。耐震性に問題なし、という結論ありきのそれだ。じつに犯罪的なのりきりを策しているのである。

この東電の対応に労働者・人民の危機感は高まるばかりである。これにあわてた原子力規制委員会は、自己保身にかられつつ、東電が主張するこれら耐震性評価のための情報は「妥当か判断するのは困難」と東電を非難してみせた。そして、耐震性評価ではなく、格納容器が損傷した場合に放射性物質を外に漏らさない対策を検討するように東電に指示した(五月二十四日)。なにがしかの対策ができるかのようにおしだすことへとのりきり策を軌道修正したのだ。この規制委員会の最大の眼目は、労働者・人民の怒りが岸田政権へと向かうことをおしとどめることにある。

官房長官・松野博一は、四月二十七日の記者会見において、圧力容器の底に穴が開いていることについて「環境や住民の健康に影響は及ぼさない」と言い放った！　岸田政権は、労働者・人民の放射能被害など知ったことではない、という権力者の本性をむきだしにして、原子力政策の大転換、原発推進政策の実現に突進しているのである。

被災地・福島においては、この事故原発の危機が明るみにでた最中にも、岸田政権は帰還困難区域の一部に設定した特定復興再生拠点の避難指示を次々とすべて解除した（五月一日の飯舘村長泥地区が最後）。危険も知らされず、やっと帰還をはたしたと安堵する被災者がふたたび放射能に襲われる、こんなことが許せるか！　やっと試験操業を脱し、本格操業にむけ必死の漁業者の断固反対の声をおしつぶして、汚染水海洋放出をいよいよ夏にも強行しようとしている。

労働者・人民にいっさいの犠牲をおしつけ、帝国主義日本の生き残りをかけて原発・核開発に突進する岸田政権を許すな！

**註**　インナースカートは、台座を格納容器、さらには建屋に接続・固定するための構造物であり、台座に一メートルだけくいこんでいる。その一メートルのコンクリートが溶けてなくなり、鉄筋も切断されているのだから、いまや台座および圧力容器はインナースカートの上にかろうじて乗っているにすぎないのだ。

浜　風　通

〔本誌掲載の関連論文〕　（特集　第三二四号）

- 原発の運転期間延長・新増設推進の閣議決定を弾劾せよ
- 軍事強国日本のエネルギー安保確立への突進　田辺敏男
- 危険極まる原発の運転期間延長　桑野　進
- 志賀原発再稼働を策し「活断層認定」を否定　笠舞　徹
- 放射能汚染水の海洋放出を許すな
- 福島に軍事技術開発拠点構築の策動　浜風　通
- 東電福島第一原発「四十年廃炉」計画の破綻　栗本誠也

コラム

## 原発再稼働・新増設のための電気料金値上げ

七月二十六日、経済産業省は原子力小委員会にたいして、既存原発の再稼働に向けた「安全対策」費を電気料金に上乗せする方針を提示した。「脱炭素に効果のある発電施設」なるもの（原発を含む）の新たな建設にかかる費用を、政府が電気料金に上乗せして徴収した資金で支援するという「長期脱炭素電源オークション」制度（註）、この来年一月から導入しようとしている制度の適用対象に、既存原発の再稼働をも加えるというのだ。原発再稼働のための電気料金値上げを断じて許すな。

六月に大手電力七社が電気料金の値上げを強行したとき、彼らは何と言っていたのか。この値上げを政府に申請するにあたって、北海道・東北・東京・北陸・中国の各社は、原発再稼働のスケジュールをそろって明記し、「原発の再稼働を組みこんで値上げ幅を算出したので、上げ幅を圧縮できた」（東電担当者）などとおしだしていたではないか。つまり、〝これ以上の電気料金の値上げがいやならば火力発電などよりコストが低い原発再稼働を容認しろ〟と、物価高騰に苦しむ労働者・人民を恫喝していたのだ。

ところが、電気料金の値上げを強行した直後に、政府・電力諸資本は、手の平を返したように、〝原発の再稼働には多額の費用がかかるので電気料金に上乗せして費用を徴収する〟（＝電気料金の値上げ）と言いはじめたのだ。何という破廉恥。

すでにこのかんわれわれは、「値上げには原発再稼働のための費用が含まれている。新増設のために政府・電力資本はさらなる電気料金値上げを企んでいる」と暴露し、警鐘を乱打してきた。われわれが暴露してきたとおりに、いまや政府・電力諸資本は「原発は安価」などと宣伝してきたことなどおくびにも出さず完全に開き直って、原発再稼働のための資金が不足しているので電気料金をさらに値上げするという方針をうちだしたのだ。原発推進のための大衆収奪のさらなる強化に反対せよ！

**註**　「長期脱炭素電源オークション」とは、原発や太陽光発電設備の新設に政府が資金援助をする制度である。その資金は全国の電力小売会社（原発を保有していない新電力も含む）の電気料金に上乗せして徴収する。発電会社からの支援要請を受けた政府は、上限を年一キロワットあたり一〇万円とし、二十年間にわたって供与する。

## 続発するマイナンバーカード関連トラブル

# 岸田政権のカード取得義務化反対！労働者への犠牲転嫁を許すな

### 労働者に責任転嫁する岸田政権を許さない

マイナンバーカードをめぐるトラブルが相次いで明らかとなっている。マイナ保険証で病院に受診しようとしたら別人の情報が登録されていた、あるいは保険加入資格を確認できずに医療費が十割負担にされた、または別人の受診履歴をもとに薬剤が処方されたなど、その数、政府発表でさえ実に七三〇〇件以上にのぼる。いまや、カード返納者が続々と増えている。

このような事態に直面したデジタル相・河野太郎は、「返納したからといって問題は解決しない」「問題は制度ではなく人為的ミスにある」と、自治体と健康保険組合の職員にいっさいの責任を転嫁している。だが、これらトラブルの詳細をみれば、いっさいの責任はマイナンバー制度の構築に狂奔する政府にあることは一目瞭然なのだ。

デジタル庁は、医療保険を運営する地方自治体や各健康保険組合にたいして、マイナンバーと医療保険の加入者情報を紐づけるさいには「基本情報を使って照合せよ」と指示をだした。この「基本情報」とは、「漢字氏名、カナ氏名、性別、生年月日、住所」であり、厚生労働省は、これらの情報を健康保険組合が基準通りに確認しなかったことがトラブル発生の原因であるなどと、健保組合などに責任を転嫁している。

２万円のポイントが受けとれる申請期間末に申請者・受けとり者が殺到し大混乱（２月24日、熊本市役所）

しかし医療保険制度の管理・運営は、国民健康保険の広域連合や大企業の労働者が加入している健康保険組合、共済組合、協会けんぽなど、実に多くの団体によりおこなわれている。もともと、それぞれの健康保険組合などが保有している個人情報（特に住所）は、自治体に届けられている情報とは必ずしも一致しないのだ。住所変更や住居表示の変更が反映されていないケースもあれば、アパートやマンションの名称・部屋番号の表記や、〇丁目〇番地などの表記方式が違うなど、〝住所の不一致〟はごまんとあるのだ。これらの情報の不一致に突きあたるたびに、健康保険組合の職員は紐づけの作業を中断し、情報の確認をしなければならない。しかし岸田政権は、情報の不一致が想定以上に多いという事態を前にしても、二〇二三年四月からのマイナ保険証利用開始までに紐づけを完了することを強制した。そうであるがゆえに、健康保険組合などの多くが、膨大な業務をスピードアップするために、氏名・性別・生年月日の三点の情報のみを確認するとしてきたのだ。「人為的ミス」の一言で片づけられることでは決してない。

しかも、岸田政権がマイナンバーカードの普及率を上げるために、現行保険証廃止は来年秋と期限をきるとともに、期間限定のマイナポイント付与をエサにして〝カードの取得を急げ〟と大宣伝した。自治体のマイナンバーカード担当窓口に住民が殺到し、カードの作成・交付と同時に「健康保険証としての利用申し込み」や「公金受取口座の登録」を申請する数も倍増した。申請が短い期間に一挙に集中したのだ。多くのトラブルを発生させたのは、この岸田政権による強引なマイナンバーカード普及策にほかならないのだ。

そもそも、医療保険や年金など、住民の個人情報はそれぞれの機関において、それぞれのルールのもとで管理・運営されてきた。ところが岸田ネオ・ファシズム政権は、これらの情報を紐づけ、無理矢理に一元的に管理しようと目論んでいる。明らかに、マイナンバーカードをめぐるトラブルの続発は、政府により引き起こされている事態なのだ。「マイナンバー制度そのものには問題はない」などと居直り、トラブルのいっさいの責任を自治体や健康保険組合の労働者に転嫁している岸田政権を、決して許すことはできない。

## マイナンバーカード義務化の狙い

吉川安代

許しがたいことに首相・岸田文雄ならびにデジタル相・河野は、マイナンバーカード取得の義務化ならびに健康保険証の廃止に、今まさに突進している。岸田政権は、マイナンバー(以下個人番号と表記)に紐づけたすべての個人情報を一元的に管理し、労働者・人民を総監視＝総管理するという、ネオ・ファシズム支配体制の確立に狂奔しているのだ。

マイナンバーカードと各情報の紐づけに関連する

トラブルの続発や、保険証廃止策にたいする労働者・人民の不安や不満の爆発。これらに直面してもなお、岸田政権はマイナンバーカードの強要＝義務化ならびにこれと一対である健康保険証の廃止については決してやめようとはしていない。

マイナンバーカードに健康保険証機能を一体化しなくても〝期限付きの資格確認書で医療サービスを受けることは可能だ〟と、政府はいう。だがこの資格確認書に期限を付けて、更新させる手間を加えるとか、資格確認書で受診する人は手数料を払わなければいけないとかと、わざわざ確認書の使い勝手を〝不便〟にしているのが岸田政権だ。すべての国民にマイナンバーカード取得を義務化するに等しいではないか。

しかも政府にとっては、このマイナ保険証が全国民に取得され、かつ実際に使用されることにこそ意味がある。

マイナンバーカードのＩＣチップに搭載されている電子証明書を使い医療保険を使うことで、はじめて本人の医療・健康情報が、Ｗｅｂ上のプラットフォームに集約されていく。これまで民間資本単独では集めることができなかった大量の個人情報が一挙に集約されていくことになるのだ。

## 「公的個人認証サービス」を民間に開放

政府がマイナンバーカードを義務化する狙いはそれにとどまらない。

現在、マイナンバーカードのＩＣチップに搭載されている電子証明書は、「公的個人認証サービス」というＷｅｂ上の窓口を使った、本人確認に使われている。この公的個人認証サービスで、本人確認の認証を受けた電子証明書は、総務省のマイナポータル（個人番号や医療情報を含む二十九情報に紐づけられたＷｅｂ上のプラットフォームの入り口）にログインする際の利用者確認の機能をもっている。

政府は民間企業に、このマイナンバーカードの電子証明書を使っておこなう公的個人認証サービスの利活用（特殊な暗号方式や認証を必要に応じて使う）を奨励している。すでに銀行のオンラインサービスを利用する時や携帯電話を契約する時など、民間企業が提供する諸サービスを利用する際の本人確認に使われている。その利用範囲は際限なく拡大されているのだ。

官民がそろって公的個人認証サービスを使うことで、電子証明書でアクセスできる公的プラットフォームと・民間企業が保有する諸情報との情報連携＝官民統一したプラットフォームを構築することが可能になるのだ。

それだけではない。公共サービスと民間サービスを合わせた官民統一のプラットフォームが作りあげられるがゆえに、公共サービスの利用だけでは集約できない個人情報が集約されるとともに、国家による個人のプロファイリング（購買・行動・趣味・思想などにかんする情報を集積し分析すること）が可能になる。すでに始まっているマイナンバーカード機能のスマホ搭載や運転免許証をはじめすべての国家資格のマイナンバーカード搭載などは、個人情報の官民統一プラットフォームへの蓄積に拍車をかけるものだ。政府はこうして蓄積した個人情報を、「有事」の際の国家総動員にも利用することができるのだ。

マイナンバー（個人番号）カードを使った労働者・人民の個人情報の一元的管理に政府が突き進む一方で、大独占体は官民統一のプラットフォームに無尽蔵に拡がり蓄積されていく個人情報を、新たな利潤を生みだす「資源」にみたて、これに群がっている。彼らには、蓄積されたデータが〝巨万の富〟を生むものにみえるのだ。

すでに政府は、民間企業がこれらの個人情報を利活用する場合に桎梏となる、各自治体の個人情報保護条例を、国の新たな個人情報保護法のもとに統一した。情報保護の規制を完全に緩めたのだ。また、今国会で、マイナンバー法が政府に都合の良いものに改定された。個人番号に紐づけられたデジタルデータを利活用する範囲や事業を拡大する場合に、これまでは法律の改正が必要であったものを「政省令」で可能とするとされたのだ。まさに時の政権の意向で自由にマイナンバー制度を変更することのできる手段を、岸田政権は手に入れたといえるのだ。

## マイナンバーカードの強要をテコとした「デジタル行政改革」

岸田政権はマイナンバーカードの取得義務化によって「デジタル行政改革」を実現しようとしている。それは行政サービスにたずさわる自治体労働者にとっては、一定の〝専門的知識と熟練〟が要請されてきた行政事務が、デジタル技術の導入をつうじてマニュアル化され、単純作業に置き換えられるということだ。

政府は、こうした行政のデジタル改革（機構・組織の改編・簡素化）を強行することにより、行政事務の単純事務労働への改変などを強行し、熟練労働者の駆逐、正規雇用労働者の非正規雇用への置き換え、自治体労働者の人員削減を目論んでいるのだ。

## 国民総監視のネオ・ファシズム支配体制の強化

岸田は、マイナンバーカードを「デジタル社会のパスポート」だという。つまりこの「パスポート」がなければ生活できない社会をつくりだすということだ。マイナンバーカードを取得しないと、住民が行政サービスや福祉・医療サービスを受けることすらできなくなるだけでなく、民間主体の諸サービスをも利用できなくなる、そういう制度を構築しようとしているのだ。

そうすれば、政府・NSC（国家安全保障会議）は、誰が・いつ・どこで何のサービスを受けたかを把握できるようになる。マイナンバーカードをもっている人が、今・どこで・何をしているのかを、中国政府がそうであるように、監視できるようになるのだ。デジタル技術を駆使して国民を総監視するというネオ・ファシズム支配体制の強化に今まさに突きすすんでいるのが岸田政権にほかならない。

岸田政権は、このような「デジタル社会」を実現するために、人民から搾り取った税金を投入して、自治体には交付金をばらまいている。

岸田政権は、大軍拡・改憲と表裏一体となった「社会のデジタル化」を、膨大な国家資金を投入して実現しようとしている。この攻撃の要としてのマイナンバーカードの義務化を打ち砕こう！

川上　昇

## 高齢者・障害者無視のなりふりかまわぬマイナの〝手直し〟

マイナンバーと個人情報の紐づけにかんする混乱が続いている。岸田政権は、この原因を「人為的ミス」と強弁し、自治体や健康保険組合などの労働者に責任を転嫁している。それだけではない。紐づけ作業を担った自治体や健康保険組合などに泥縄的な「総点検」の号令を発したのだ。これによって当該職場で働く労働者は、通常業務があるうえにさらに、一方的に期限を定められた「総点検」業務に駆りたてられ膨大な作業を担わされるのだ。政府はあくまでも、マイナンバーカードと健康保険証を一体化するとして従来の健康保険証の廃止を強行しようとしているのである。

この岸田政権にたいして、認知症や障害をもつ人たちが入居している福祉施設からは「入居者たちのマイナンバーカードの暗証番号を管理できない」と、いっせいに声があがった。自身でマイナンバーカードを取得した高齢者たちからも「暗証番号を覚えられなくて保険証が使えない」などの不安や不満が噴出するなど、いたるところで岸田政権にたいする反発が渦巻いている。

　これらの諸問題がマイナンバーカードと健康保険証の一体化ならびに従来の健康保険証の廃止の阻害要因となること、さらには岸田政権の延命じたいが危うくなることに危機感をもった政府は、驚くべき方針をうちだした。総務相・松本剛明が、今年十一月には暗証番号を設定しなくてもマイナンバーカードの申請や交付ができるようにすると表明したのだ。いわく、「暗証番号を設定しない場合はマイナポータルの利用はできないが、健康保険証と一体化されたマイナカードは顔認証や目視で本人確認をおこない保険証として使うことができる」、「こうした取り組みによって、多くの人がカードを取得する環境整備を進める」、と。

　しかし、これほど医療や福祉の現場が理解できていない場当たり的な対応はない。マイナ保険証で受診するためには顔認証付きカードリーダーが設置されている医療機関に本人が行き、顔認証をやらなければならないが、施設にはそこに行くことすらままならない人たちが大勢いる。そもそも、顔写真を添えてマイナンバーカード作成を申請し役所に出向いて本人確認にもとづいてカードを受け取るということが施設入所者には難しいのだ。

　また、たとえマイナンバーカードを受け取れても「健康保険証との一体化」を、誰がどのようにおこなうの

トラブル続出でマイナンバーカード交付窓口に来る人は減少（福井市役所、７月27日）

かは示されていない。通常は、マイナンバーカードへの健康保険証の利用登録は、カード所有者本人がマイナポータルから個人認証にもとづいておこなう。だが、顔認証付きカードリーダーもない施設に入居する体の不自由な人たちはどうなるのか。暗証番号を使わずに、つまり個人認証の方法がないままにマイナカードを「保険証として使う」手続きを誰がおこなうというのだ。施設で働く労働者に責任を押しつけるつもりなのか。

問題はこうしたことにとどまらない。暗証番号はいうまでもなく個人識別のためのものであり、個人でおこなうことのできるセキュリティ対策である。政府はマイナンバーカードが安全であることの証として「誤った暗証番号を複数回入力するとロックされる」ことを強調してきた。にもかかわらず、セキュリティ対策の根幹である暗証番号を設定しないマイナンバーカードを交付するということは、個人情報がダダモレになるであろうことが歴然としている。すなわち、岸田政権は、国民皆保険制度のもとで誰もが必要な健康保険証を人質としたマイナンバーカードの取得義務化を個人情報保護など二の次三の次でなりふりかまわず強行する、ということにほかならない。マイナンバーを使った個人情報の国家による一元化＝総監視を許すな。

（二〇二三年七月二十五日）

## 〝カード発行ありき〟の欺瞞的な対策

マイナンバーと個人情報の紐づけの「総点検」を自治体や健康保険組合に号令した岸田政権は、八月八日、「マイナンバー制度およびマイナンバーカードにかんする政策パッケージ」なる文書を発出した。その構成は、⑴「総点検」、⑵「再発防止対策」、そして⑶「国民の信頼回復に向けた対応」となっている。この文書において政府は、マイナンバーと個人情報の紐づけに関連して現に起きており収拾の目処もはっきりしない問題について、原因を分析するでもなくみずからの責任を明らかにするでもない。改めてマイナンバーとマイナンバーカードの〝有用性〟を説いたうえで、〝政府がより積極的に制度の普及のための環境やルールを整備する〟、などという実に盗人猛々しい言辞を弄しているのである。この「政策パッケージ」なるものは、〝「国民」や自治体、関係機関は政府の意思に従わなければならないのだ〟、という政府の意図が透けてみえる代物なのだ。ここではこの欺瞞的な「政策パッケージ」全体のなかから高齢者・障害者への対応に絞って述べる。

岸田政権は政策パッケージのなかで、「国民の信頼回復に向けた対応」の一つとして、「マイナンバーカード取得の円滑化」方策をうちだした。

その一つとして「福祉施設・支援団体の方むけマイナンバーカード取得・管理マニュアル」を策定し、このマニュアルにしたがえば、介護・福祉施設入所中の高齢者や障害者などが簡単に、マイナンバーカードの取得や医療保険証としてのカードの使用ができるようになると政府は宣伝している。

その内容は、介護・福祉施設や個人宅を実質的なマイナンバーカード申請会場にしたてあげるという実にデタラメ極まりないものだ。まず自治体当局や委託事業者が職員を大動員して施設や個人宅へ出張させ、この職員にマイナンバーカードの申請を受けつけさせる。施設などへの出張申請をする場合の机や椅子の配置などまで、細かく指示されている。特に施設などで複数人（数十人の場合もある）の申請を受けつけさせる場合には、施設職員と事前の打ち合わせや会場設営、必要書類の整備などたくさんの確認が必要になる（場合によっては自治体職員が施設に幾度も出向く）。政府は、自治体や委託事業所の労働者ならびに出張受付を受け入れる側の介護・福祉施設の労働者に労働強化を強いてでも、なんとしてもマイナンバーカードを普及させようとしているのだ。

　またこうして出来あがったマイナンバーカードの受け取り方法も、従来政府が声高に宣伝していた「厳格な本人確認に基づく安全な交付方法」のレベルを大幅に緩めている。

　自治体職員が出張で申請を受けつけた場合は、カードを申請した高齢者・障害者が役所に出向かずとも、本人限定郵便などで自治体職員は申請者にカードを交付できる。また、自治体からの委託事業者が施設や自宅で申請をサポートした場合（委託業者は申請を受理できないためサポートのみ）は、本来はカード申請した高齢者や障害者本人が役所に来庁して交付を受けなければならないところ、一定の条件を満たせば代理人が役所に出向いて交付を受けられるとした。

従来政府は、マイナンバーカードの申請者がカードの交付を受けるためには必ず本人が役所に出向くこと、かつその場で顔写真を写して機械上でマイナンバーカードの写真と七〇%以上合致した場合に限ることとしてきた。これで〝本人確認に間違いなし〟と宣伝していたのが政府である。ところがこの「安全」対策さえ曖昧にしてでも、政府は高齢者や障害者も含めて全国民に無理矢理ともいえる手法でマイナンバーカードを取得させようとしているのだ。

そして政府は暗証番号の管理が困難な国民向けに、今年十一月頃より暗証番号無しでのカードの申請・交付を開始する。この場合、交付されたマイナンバーカードは健康保険証としてしか使えない。政府が利便性を宣伝するマイナポータルや各種証明書のコンビニ交付などはできないのだ。

多くの国民がマイナンバーカードの健康保険証としての使用に反対しているなかで、政府がカード取得の〝安全性〟さえなおざりにしてまで従来の保険証の廃止を強行しようとしているのは、国民の個人情報を国家が管理統制できるシステムを構築することをこそ目論んでいるからなのだ。あくまで政府支配階級の利害に沿ってマイナンバーの取得義務化を急いでいるのだ。これをテコとした「社会のデジタル化」によって、岸田政権は「戦争ができる国」の土台づくりに突進している。われわれは岸田政権のマイナンバー制度を許さずたたかおう。

（二〇二三年八月二十八日）

松阪高志

---

## 泥縄的「総点検」作業を強いられる労働者

岸田政権は、マイナンバーカードを「デジタル社会のパスポート」と位置づけ、カードの普及に狂奔してきた。

だが今年の五月以降、マイナンバー制度のトラブルが相次ぎ、岸田政権にたいする労働者・人民の怒りと不満が一挙に巻き起こった。岸田政権は、高まる人民の怒りに直面し、急きょ、マイナンバーをめぐるトラブルの泥縄的な収拾にのりだした。「マイナポータル」全二十九分野の全データについて、今秋をめどに自治体・健康保険組合の約三六〇〇機関に総点検させることを閣議決定した。この閣議で岸田は、異例にも、デジタル相・河野、総務相・松本、厚労相・加藤勝信を名指しし、点検を指示したのだ。この指示を受けて、「マイナンバー情報総点検本部」(本部長・河野デジタル相)が設置されるともに、厚労省は加藤自身をトップとする「オンライン資格確認利用推進本部」を設置した。そして、マイナポータル二十九項目の誤登録有無確認を八月上旬に中間報告、十一月までに最終報告することを決定した。

マイナンバーカードと、マイナンバーとの紐づけ(註1)をめぐる主なトラブルは次のとおり。

①コンビニ交付サービスでの証明書誤発行、②マイナポイントを別人に付与、③マイナポータルでの他人の年金情報の閲覧状態、④マイナ保険証に別人の情報の登録、⑤公金受取口座に家族や別人の登録、⑥療育手帳の別人情報の登録、⑦障害者手帳の別人情報の登録、などなど。

これらのトラブルの主な原因について、政府は「ヒューマンエラー」だと強調し、窓口業務を担う自治体職員や入力作業をおこなう健康保険組合の職員に責任転嫁した。だが実態は、「ヒューマンエラー」などといえるようなものでは決してない。マイナカードの人物と口座の人物とが同一であることをチェックする機能がないというように、システム自体に不備があった。マイナポイント事業では膨大な申請に短期間で対応するために、本人確認を二回から一回に簡略化するシステム変更をも政府の指示にもとづいておこなっているのだ。それだけではない。公金受取口座の入力では、銀行口座で使われるカナ氏名とマイナンバーで使われる漢字氏名が照合できないようなシステムがつくられたがゆえに、別人の口座でも登録できてしまう始末だ。だからこそ、デジタル相・河野は、「現状のシステムでは（誤登録は）防げない」と弁明するほかなかったのだ。このような現実・トラブルのいっさいの責任は政府そのものにあるのだ。政府による責任転嫁は絶対に許すわけにはいかない。

また、マイナカード取得の増大を急ぐために政府が始めたマイナポイント事業で、問題はさらに拡大した。自治体からは「申請手続きのマニュアルがわかりにくい。制度設計した国の担当者が現場を理解していない」と指摘されていたし、さらにポイント付与の登録システムは「煩雑すぎる」と申請者から苦情が出されていた。これにたいして、なんとデジタル庁は、本人確認を二回から一回に省略せよと指示した。このことによって誤付与が起きたのだ。

また健康保険組合には、総点検にあたって追加費用が生じるという。なぜならば、マイナンバーに紐づけしたデータが正しいか確認するためにＪ—ＬＩＳ（地方公共団体情報システム機構）に情報照会しなければならないからだ。一件につき十円を要するといわれている。だがこの費用をどの機関が負担するかについてはいまだ決まっていないというのだ。（註２）

自治体職場では、政府がスケジュールだけを区切って費用も実務負担への対応もあいまいなまま作業を押しつけることへの怒りが渦巻いている。市町村合併や民間委託、正規職員の会計年度任用職員への置き換えなど、極限的に削減された自治体職場の人員で、入力作業に追いたてられ、自治体職場は疲弊している。「総点検」の名によるさらなる労働強化を許すな！

**註１　マイナンバーとの紐づけ**

マイナンバーカード交付の際、通常「署名用電子証明書」と「利用者用電子証明書」を設定する。紐づけはこの「電子証明書」の「発行番号（シリアルナンバー）」とおこなう。

前者には基本四情報（氏名・住所・生年月日・性別）と発行日、有効期限、固有の発行番号（シリアルナンバー）が記載されている。オンラインによる確定申告や行政機関などへの電子申請書などをおこなう際

など に使う。マイナンバーカード取得時に設定した英数字六〜十六桁のパスワードの入力が必要。基本四情報に異動が生ずると失効する。

後者には発行日、有効期限、固有の発行番号が記載されている。マイナポータルの情報閲覧やコンビニ交付のサービスを受ける際などに利用者本人であることを証明することに使う。マイナンバーカード取得時に設定した数字四桁のパスワードの入力が必要。基本四情報に異動があっても失効しない。

二つの発行番号はJ—LISのサーバーで関連づけられていて、どちらかが分かれば他方も分かる仕組み。有効期限はどちらも発行日から五回目の誕生日まで。

このことから、基本四情報でマイナンバーを確認せずに紐づけすると、誤って他者に紐づけすることになる。

**註2　点検照会費用負担について**

J—LISは、地方自治体の負担金および情報提供手数料で運営されている。今回の点検では、社会保険診療報酬支払基金特例で無料。他の紐づけ実施機関は、点検範囲、点検方法、点検期限などを見極めつつ、「十分配慮」するとした。

麻　沢　穣

# マイナンバー制度容認の自治労・自治労連の本部

マイナンバーカードをめぐって問題が噴出する事態にたいして、七割の国民が健康保険証廃止に反対の声をあげている。ことここにいたって、自治労本部は、やっと「マイナンバーの総点検等にたいする総務省への申し入れ」なるものを表明した。

その内容は、通常業務と並行した点検作業は極めて難しいので、「的確な点検手法とスケジュール感の明示」とか、「市民や自治体への説明の充実」とか、「自治体の負担にならないように財政面や人事面への支援」とかを政府に要請するものでしかない。

マイナンバーカードと健康保険証の紐づけ（マイナ保険証）の問題にも、個人情報の漏洩多発化の問題にも、〝自治体労働者や健保組合職員のヒューマンエラー〟で片付けられている問題にも、一言も触れていないのだ。

そもそも自治労は、行政のデジタル化については、その「効率性」や「利便性」に足をすくわれ、マイナカードと保険証の紐づけを事実上は容認しているのだ。そのうえで説明責任や丁寧な手順の提示を要求しているにすぎないのである。

他方の自治労連本部は、「セキュリティーの安全性」については問題としつつ、「マイナンバーカードの取得は個人の自由」であることを前面におしだす。そのうえで保険証の廃止などは、「法律の建前と違うやり方で事実上変質させている」と政府の「違法かつ強引な手法」が「大問題」とし、「住民の立場に立った見直し」を求めているにすぎない。

行政のデジタル化についても自治労連本部は、「地方自治体の個人情報を国に一元化し、そのデータを民間に提供することが狙い」であると問題にするにすぎない。政府がマイナンバーカードをめぐって問題が噴出しても強引に取得をすすめるのは、大経団連の意向に応えるためだ、と。そのうえで、大企業だけを儲けさせるのではなく「労働者・国民の声に応えよ」と、「強引な推進をしないでほしい」と要求しているのだ。

だが自治労も自治労連も、ビッグデータの利活用には多少の危機感を表明しつつも、岸田政権がマイナンバーと保険証の紐づけをはじめとしたカードの普及を急ぐのは何のためかをとらえない。ネオ・ファシズム的支配体制を飛躍的に強化する岸田政権の攻撃にはいっさい触れることができないのだ。それは政府が地方自治を尊重してくれさえすれば、行政のデジタル化は時代の趨勢であると認めたうえで、むしろ人員削減がすすむなかで「デジタル化」に期待さえしている始末だからである。

政府権力者による、「利便性」と業務の効率化の宣伝に足をすくわれ、〝国民総監視〟のためのマイナンバー制度を実質的に容認する自治労ならびに自治労連本部の闘争放棄をのりこえたたかおう！

田　畑　由　紀

# ストライキで起ちあがった そごう・西武労働者を支援せよ

二〇二三年八月三十一日に、そごう・西武労組の労働者たちは、親会社のセブン&アイ・ホールディングスによる百貨店「そごう・西武」の外資ファンドへの売却に抗議し、「雇用維持の保障」を求めて西武池袋本店での全日ストライキを貫徹した（スト権は九四%の賛成で確立）。大手百貨店の労働組合がストライキを決行したのは、じつに六十一年ぶりである。

だがセブン&アイ経営陣は、〝今後の雇用問題は売却先が決める〟などとほざいて労組の要求をすべてつっぱね、スト当日に臨時取締役会を開いて売却を議決した。そして翌九月一日には「売却完了」を宣言したのだ。セブン&アイ経営陣のこの暴挙を許すな！

## 企業売却による百貨店事業の清算＝大量首切り

セブン&アイ経営陣は、昨年十一月に、子会社である「そごう・西武」（全国に十店舗の百貨店やショッピングセンターを保有）を、アメリカの投資ファンド＝フォートレス・インベストメント・グループに売却する方針をうちだし、以後半年以上にわたって交渉を進めてきた。

フォートレスは、買収した企業の転売によって巨大な利益をあげてきたハゲタカ・ファンドである。このフォートレスは、家電量販大手のヨドバシカメラと組んで、西武の池袋本店や渋谷店など集客力のある主要店舗をヨドバシを中心にした商業施設に再編する計画をうちだした。しかもセブン＆アイ経営

西武池袋本店でストを決行（８月31日）

陣は、この交渉内容をいっさい労組に開示せず、七月に労組がスト権を確立するまで交渉を拒否しつづけた。そしていま、労組の抗議や豊島区・地域住民たちの反対の声をはねつけて、「お荷物」とみなした「そごう・西武」の切り捨てを強行したのだ。

〔セブン＆アイは、売却する「そごう・西武」の資産について、「二二〇〇億円」と譲渡契約に明記していたのであるが、三〇〇〇億円の有利子負債などを理由にして、八五〇〇万円まで割り引いてフォートレスに売り渡した。フォートレスは、セブンから譲渡された西武池袋店の土地をヨドバシに三〇〇〇億円で売りつけ、それを「そごう・西武」の負債の償却にあてる計画であるという。〕

このセブンからフォートレスへの企業売却によって、全国十店舗ある「そごう・西武」の百貨店事業は解体され切り刻まれることが決定的となった。

もとよりフォートレス経営者は、売上も利益も激減している百貨店事業を続ける気などさらさらない。彼らは、「そごう・西武」の各店舗をヨドバシと組んで利益の上がるテナント・ビルにつくりかえたうえで保有株を転売したり、駅前一等地にある不動産を転売したりすることで利益を得ようと企んでいるのだ。他方ヨドバシは、西武池袋店の土地をフォートレスから買いとることをテコにして、それを実質

的に「ヨドバシ池袋店」に改造し、駅直結という〝地の利〟を活かして売上を伸ばそうとしている（そのうえで店舗の一部を「西武百貨店」に賃貸し、テナント料をとるというのだ）。

西武池袋本店では現在約一万人の労働者が働いており、そのうち九〇〇〇人が西武の社員である。この池袋本店が「ヨドバシ池袋店＋西武」のようなものになれば、西武労働者の多くが首を切られるだけでなく、数千人のテナントの労働者も職場を失う。しかもフォートレスは、これと同じことを、他の店舗でもやろうとしているのだ。全国の「そごう・西武」の労働者四三〇〇人は、いま百貨店事業の解体＝大量首切りの危機に直面しているのである。

もとはといえば二〇〇六年に、セブン＆アイの経営陣は「コンビニから百貨店までの総合流通グループをつくる」とぶちあげて、業績不振の「そごう・西武」を買収した。だがそれ以降彼らがやってきたのは、リストラに次ぐリストラであり、それによって二十八あった店舗を十まで削減することであった。このように労働者に犠牲を転嫁して業績不振をのりきってきた経営陣は、いまやみずからの多角化戦略の破綻のつけのいっさいを労働者に押しつけ、百貨店事業からの「撤退」をなりふりかまわず強行したのだ。外資系投資ファンドへの売却による事業の切り捨て

・労働者の切り捨てという悪らつな形態において！

## 「連合」式労使協議路線をのりこえたたかおう

「連合」指導部は、八月三十一日に次のような「事務局長談話」を発表した。「連合は苦渋の決断をした当該組合員が雇用不安や生活不安を抱えている状況を憂慮し、経営側に対し真摯な労使交渉を通じた早期の事態収拾を強く求める」と。

「苦渋の決断」だと⁉　〝ストライキなどやって欲しくない〟という本音がありありではないか！

「事態収拾を求める」だと⁉　労働者をハゲタカ・ファンドに企業丸ごと売り渡し首切りの餌食に供したセブン&アイ経営陣にたいする怒りのひとかけらもないではないか！

「連合」指導部は、そごう・西武の労働者にたいして何の支援闘争もとりくもうとしていない。「今後の展開を注視しつつ構成組織を最大限支援するとともに、当該組合員に寄り添い続ける」などと、おざなりの欺瞞的「談話」でお茶を濁しているだけなのだ。

大企業が不採算部門を投資ファンドに売却し、買収した投資ファンドが「企業価値」（株価）を上げるために企業体を切り刻んで労働者を大量に解雇する。――こうした悪らつなやり方が、このかん横行している。このような企業売却をテコとするリストラ・首切りにたいして、「連合」傘下諸労組の労働貴族は、労使協議路線にもとづいてことごとく屈服し受け入れてきた。

コンビニの激増やネット通販の拡大に押されて、既存の百貨店や総合スーパーなどはおしなべて業績悪化に直面してきた。これをのりきるために流通業界の経営者どもが相次いで強行した企業統廃合や事業の売却・店舗の閉鎖、それらにともなう大規模な首切り・配転などの攻撃にたいして、「企業存続のため」を大義名分にして全面的に協力してきたのが、「連合」指導部であり、UAゼンセン指導部なのだ。その結果、百貨店業界だけでも夥しい数の労働者が解雇され、路頭に放りだされてきたのだ。

このようななかで、そごう・西武労組の労働者たちは、セブン&アイ経営陣にたいして、「ストライキは働く者の権利だ」と叫んでストライキ闘争で反撃した。この闘いに三越伊勢丹や高島屋など他の百貨店労組も、「西武労組を孤立させるな」と支援の声をあげた。

そしていま、そごう・西武労組は、新たに「親会社」となったフォートレスの経営陣にたいして、「雇用維持」を求めて闘いを開始している。

大リストラによって「企業価値」をあげようとしているハゲタカ・ファンドにたいして、「連合」労働貴族式の労使協議路線をもってしては太刀打ちできないことは明らかである。フォートレス＝ヨドバシによる大リストラ・大量解雇攻撃をはねかえすためには、同質の企業再編攻撃をひとしくうけているすべての百貨店・流通業の労働者たちが――UAゼンセンなどの労働貴族の抑圧と分断をはねのけ――企業横断的に団結してたたかわなければならない。

「そごう・西武」の労働者は、大量首切りを阻止するために、労使協議路線にもとづく労働貴族式の指導をのりこえ、ストライキを闘争手段にしてたたかおう。全国の労働者は、産別・企業の違いを超えて「そごう・西武」の労働者たちを支援しよう！

（二〇二三年九月二日）

# 今こそ給特法撤廃をかちとろう
## 政府・文科省による人事・賃金制度の大改悪反対！

教育労働者委員会

すべての教育労働者諸君！　いま全国の学校現場では教育労働者の病休や離職が相次ぎ、教員の人員不足が常態化している。かつてない業務の膨大化によって、長時間・高強度の労働が蔓延するとともに、この業務の非合理的な増大の問題を、教員の〝能力向上〟によって解消しようとする管理職による、いわゆる「パワハラ」的形態の労務管理が横行しているのだ。悪辣きわまる文部科学省と各地の教育委員会は、この「教員不足」を、教育労働者をさらに長時間酷使することによってのりきろうとしている。まさにそのゆえに、いまや残業時間は持ち帰り残業を含めて月間平均で一二〇時間を超える殺人的なものになっている。政府・文科省は、この許しがたい超長時間労働を、「定額・働かせ放題」を合法とする稀代の悪法＝「給特法」を最大限活用するかたちで教員に強制しているのだ。

政府・文科省は、いま「働き方改革」と「教員の処遇改善」を進めるなどと叫びはじめた。だがそれは、あくまでも「給特法」を維持することを大前提とした反労働者的なものにほかならない。過酷な勤務を強いられてきた教育労働者にたいして「頑張った教員が報われる処遇」「メリハリある給与体系の構築」と称してさらに能力開発に急《せ》きたて、過重負担を強制しようとしているのが岸田政権・文科省なのだ。しかもそれは、教員間の賃金格差をさらに拡大する人事・賃金制度の大改悪にほかならない。

だがこのときに日教組本部は、「学校現場の声を国に届ける」と称して日教組運動を、文科省尻押し運動へとねじ曲げようとしている。すべての組合員は、日教組本部の闘争歪曲をのりこえ、「人事・賃金制度の大改悪反対！」「給特法撤廃！」の闘いを大きく創造しよう！

## 超長時間労働の強制を許すな！

新型コロナの「五類移行」となった今二〇二三年、文科省・各教委は学校行事や部活動の通常実施を学校現場に通達した。このことによって、教員の長時間かつ高強度の労働にさらに拍車がかかっている。

コロナ感染拡大のもとで、学校生活を制限されてきた子どもたちはおしなべて体力面・精神面の不調を抱えており、不登校の小中学生は全国で二四万人、「いじめ」事案も六一万五〇〇〇件と過去最高に膨れあがっている。「荒れ」を呈する学級も増えている。教育労働者は、これらの対処に奔走させられ、さらに通常行事再開にともなう業務負担も加わり休憩も取れないまま心身ともに疲労困憊させられている。実に二〇二一年度の休職者は約六〇〇〇名、教員の定数不足は約二〇〇〇名にのぼったほどなのだ。しかも昨二二年度の東京都の新規採用教員の退職者数は、過去最多の一〇八名にものぼった。今年は、これらの過年度以上の休職・退職が出るのは確実視されているのだ。精神疾患を発症する二十代教員が急増し、自殺を図る教員の割合も高くなっている。新採用の直後から学級担任を命じられ、深夜におよぶ超過勤務と保護者からのクレーム、管理職からの「パワハラ」的指導にさらされる、およそ非合理的で過重な「働き方」を強制されているからである。

今年も全国で一学期開始から学級担任が揃わない学校が続出するほどに「教員不足」が拡大している。だが政府・文科省は、低賃金の「サポートスタッフ」や無給の「学生ボランティア」を配置することをもって、教員定数の拡大などの抜本的対策を完全に放棄している。殺人的な残業の削減も一向におこなわず、ただ「能力向上に邁進せよ」「授業・校務をＩＣＴ化し効率化せよ」と疲労困憊の教員をさらに「能力開発」に駆りたてているのが政府・文科省ではないか。こうして学校現場では管理職によるタイムカード・勤退記録の改ざん指示や退勤強要などの〝時短パワハラ〟が横行するばかりなのだ。

すべての教育労働者は政府・文科省にたいする怒りの声を今こそあげよう！

## 「給特法見直し」「処遇改善」の名による労務管理強化

岸田政権は六月十六日、「学校の働き方改革」「教員の処遇改善」などの新たな教育政策を盛りこんだ「骨太の方針二〇二三」を閣議決定した。この「骨太の方針」は、政府の今後の教育政策の基本方針となる自民党「令和の教育人材確保特命委員会」の「提言」を下敷きにしたものである。これに先立つ五月には、文科相・永岡桂子が「質の高い教師の確保」のための方策を中央教育審議会に諮問している。岸田政権は、産業構造転換に適応した労働力や高度人材を公教育において育成することが行き詰まりつつあることへの焦りにかられ、経済財政諮問会議、文科省、自民党などの各レベルで文教族議員や御用文化人・学者などを総動員して、教員の「処遇改善」「働き方改革」「学校の運営体制見直し」などと称する泥縄的対策に躍起となっているのだ。

自民党「特命委員会」の提言や「骨太の方針」では、教員の「働き方改革」「処遇改善」が叫ばれてはいる。だが、教師は「我が国の未来を拓く子どもを育てるという崇高な使命を有する高度な専門職」であり「教育の成果は必ずしも勤務時間の長さでは評価できない」などとして、「給特法」の維持をうちだしているのが政府・自民党なのだ。残業にたいして「割増賃金」を支払うことや、労使協定で残業時間に上限を設定すること（いわゆる三六協定の締結）などを義務づけた労働基準法の対象から、教育労働者を適用除外とし、あくまでも「定額・働かせ放題」の制度を合法としつづけようというのだ。

「特命委員会」座長の元文科相・萩生田光一は、委員会の発足時（二三年秋）には「給特法という制度が、果たしてこれから（教職調整額の）ボリュームさえ変えれば解決するのかというのは、幅広に論議していきたい」などと口にしてはいた。だが彼らは半年ばかりのちの今、「特命委員会」の「提言」や「骨太の方針」において、「調整額」の本俸四％から一〇％への増額（わずか一万数千円程度の増額であり、現状の残業時間をまったく無視した月間残業二十時間程度にしか相当しない超低額のもの）をもって「給特法」を「見直し」したと強弁しているのだ。これが「給特法」の堅持であることはあまりにも明白であるにもかかわらず、である。

しかも萩生田らは、教職調整額の増額も「一律に上げて頑張っていない教師の給与も上げるのではなく真に頑張った教師に報いる」などと許しがたい屁理屈をこねて〝査定給〟とすることすら公言している。同時に「特命委員会提言」や「骨太の方針」では、教員本俸の「級」を「多段階化」させること、さらに管理職手当の増額、学級担任手当の新設、主任手当の倍増、研修主事、道徳推進教諭や情報教育担当など文科省が重視する職務に限って主任手当の対象にすることなどを「処遇改善」策としてうちだしている。まさに岸田政権は、疲労困憊の教育労働者によりいっそうの労働強化を強い、能力向上を強制するために、賃金体系を抜本的に改悪しようとしているのだ。「教職調整額」の増額もあくまでもその一環にほかならない。

それだけではない。政府自民党や文科省は、校長―副校長―主幹教諭―主任教諭―一般教諭のピラミッド型の労務管理体制と職務職階給制度をより強化するためにこそ手当の新設や給与の「級」の多層化をうちだしているのであって、この新給与方式は、「処遇改善」どころか人事・賃金制度の大改悪にほかならない。しかも政府・文科省は今年から、新研修制度を学校現場に導入し、この研修受講履歴をも人事評価に利用すると宣言しているのだ。

これら教育労働者の労務管理強化と新たな職務・職階給制度の導入、そして「給特法」の堅持を、一般公務員とは違う「崇高な使命」を担う「教師のプライド」を尊重したものだ、などと「特命委員会」などが吹聴していることほど盗人猛々しいことはないではないか。

## 長時間労働を促進する国家主義・能力主義教育

いま政府・文科省は独占資本家階級の教育要求にもとづき、愛国心教育、デジタル教育やＳＴＥＡＭ教育などをおしすすめるとともに、学校現場に「個別最適な学び」「アクティブラーニング」などの新たな教育方法を次々と導入している。ＩＣＴ技術を身につけ、新たな産業・サービス商品を創造する能力と起業精神、そして愛国心をもった高度人材や破壊的イノベーションを先導する人材を育成するという国家主義と能力主義につらぬかれた反動的な教育改革の推進によって教科内容も校務も増える一方である。

たとえ「骨太の方針」において中学校の三十五人学級の実現が叫ばれているのだとしても、業務負担の軽減にはまったくなりえない。政府・文科省は、傑出した能力をもつ人材だけでなく、ＤＸ時代の新たな産業構造に適応した労働力として子ども一人ひとりの個性・能力に即して「個別最適」な教育を施し育成していくためにこそ少人数教育を提唱しているのであって、これは教育労働者に途轍もない業務量の増大をもたらすとともに長時間労働と労働強化、能力向上の強制を促進するいがいのなにものでもないのだ。これら労働強化の攻撃を、教職は「国の未来を拓く子どもたちを育て」「国家百年の大計を決する」崇高な職務であるなどという国家主義につらぬかれた「教師＝聖職」論を煽りたてて教員に貫徹しようとしているのが岸田政権・文科省にほかならない。彼らはあくまでも教員の「働かせ放題」を合法とする「給特法」を堅持するためにも極反動イデオロギーを鼓吹しているのだ。

## 文科省を尻押しする日教組本部をのりこえ闘おう！

組合員の「長時間労働の強制反対！」「『給特法』を今こそ撤廃せよ！」の怒りの声の高まりのなか、日教組本部は七月十五、十六日に第一一二回定期大会を開催した。この大会の開会あいさつで日教組委員長・瀧本司は「中教審」の審議にふれて、「論議の前提に給特法体制の維持があるならば、その実効性は限定的になる」、「日教組は給特法の廃止・見直しを求めている」と、たたかう姿勢を強調してみせた。だが彼は、すでに政府・文科省が「給特法」の廃止を求める組合員の怒りの声をふみにじり、「給特法」の維持をうちだしたことを弾劾しない。「教職調整額増額」をもって「給特法」を見直したなどと称していることもまったく弾劾しない。日教組・瀧本執行部は、「給特法の廃止・見直し」を口にしてはいても、じっさいにはその実現のためにたたかうことを放棄しているのだ。

六月に日教組本部は、長時間労働是正をテーマとする「職場討議資料」を全組合員に配布した。そのなかでも日教組本部は、長時間労働に反対し「給特法」を撤廃する運動の創造をまったく呼びかけてはいない。ただ「学校現場の声を国に届けよう！」と称して「二百字以内」の「ネット投稿」を呼びかけただけなのだ。七月十八日に発表した「中教審の審議に反映させる」ための「七つの緊急提言」なるものもまた、「教職員の拡充」や「業務軽減」、そして『給特法の廃止』・抜本的見直し」などを中教審の審議に反映させるためのものであり、「給特法」堅持の政府・文科省への批判の一言もない代物なのだ。これら文科省・中教審を尻押しするとりくみに日教組の運動を解消しようとしているのが日教組本部なのだ。

そもそも日教組本部は、二〇一九年の「学校における働き方改革」についての答申において、中教審が「給特法」の審議を棚上げにしてその廃止を求める声を傲然とふみつぶしたさいにも、弾劾の声をあげることなく文科省・中教審を免罪し屈伏したのではなかったか。このことが、こんにちの教育労働者・組合員をよりいっそう過労死の危険にさらし心身の疾患による病休・退職に突きおとしたのは明らかではないか。そして今、またしても「給特法」の堅持をうちだした文科省を免罪し、「国に現場の声を届ける」などと文科省への幻想を煽り、その尻押し運動に組合員を引き回そうというのだ。この教育労働者への裏切りを決して許してはならない。

すべての組合員の皆さん！　文科省の正真正銘の「パートナー」として、中教審の審議に期待し・その尻押しへと闘いをおし歪める日教組本部をのりこえ、長時間労働の強制反対！　給特法撤廃！　の闘いを職場深部から今こそ大きくつくりだそう！　職務職階給の強化と労務管理強化に断固反対しよう！　国家主義・能力主義教育の強化を許すな！

**改憲反対！　日本の軍事強国化・大軍拡反対！　ロシアのウクライナ侵略を許すな**

首相・岸田は、アメリカとともに戦争をやれる軍事強国をめざして、憲法第九条に自衛隊を明記し、緊急時に首相にナチス型の「非常大権」を付与する「緊急事態条項」を創設する憲法改悪をみずからの任期中になしとげることを明言している。そして彼らは、五年間で四三兆円もの軍事費を注ぎこみ南西諸島に中距離ミサイルを大量配備するなどの大軍拡に突進している。岸田政権は、「反撃能力」の行使と称して、中国にたいして先制攻撃をおこなうことさえ合憲だなどと叫びたて、台湾をめぐって米中が軍事的に激突したさいには真っ先に参戦する意志をうち固めているのだ。今こそ日教組組合員は、憲法改悪・大軍拡、そして日米安保の飛躍的強化に反対する闘いを、闘争放棄を決めこむ日教組指導部をのりこえ、職場深部からつくりだそう！

同時に、暴虐の限りを尽くすロシア軍による暗黒の占領支配を絶対に許さないために、プーチン政権によるウクライナ侵略に反対する反戦の闘いを高揚させよう！

すべてのみなさん！　今こそ長時間労働の強制反対！「給特法」撤廃！　をかちとろうではないか！

NTT労組第二十六回全国大会

# 「10万円要求」撤回を弾劾され逃げ回る本部労働貴族

雨竜沼　遙

二〇二三年七月十一、十二日にNTT労組全国大会が開催された。大会冒頭の中央執行委員長挨拶において、委員長・鈴木克彦は二〇二三春闘の結果について「原要求には到底およばない厳しい結果となった。特に『生活防衛の措置』について、『妥結結果と要求の乖離』〔「年間一〇万円支給」の要求に経営陣がゼロ回答で応え、NTT労組執行部が要求を撤回したこと〕にかんする多くの意見があり、率直におわび申しあげる」と表明した。この委員長・鈴木の異例とも言える「謝罪」表明こそ、今次春闘における中央本部の大裏切りにたいして全グループ企業・全国津々浦々の職場組合員から「ふざけるな」「許せない」という弾劾が噴きあがったことに追いつめられた中央本部労働貴族どもの醜悪な自己保身にほかならない。

## 代議員が次々と中央本部を批判・追及

今次春闘において中央本部は、月例賃金ではわずか三三〇〇円（主要会社の正社員）という超低額で妥結しただけでなく、彼らが目玉商品としておしだしていた「年間一〇万円の生活防衛の措置」については、一円も獲得することができなかった。経営陣が「短期的な物価上昇のみをとらえた措置は実施しない」と「一〇万円措置」要求を傲然と拒否したことに直面した中央本部は、あろうことか、なんの抵抗も下部討議もなく、この「一〇万円要求」をとり下げてしまったのだ。

本部批判が噴出したＮＴＴ労組第26回全国大会（７月）

経営陣に完全屈服し追従したこの中央本部や企業本部の役員にたいして猛烈な物価高騰のもとで呻吟するＮＴＴグループ各社・全国の組合員たちは怒りと弾劾の声をあげ、全国大会にむけた各級機関の論議において職場組合員の意見を反映させていった。わが革命的・戦闘的労働者たちは、このような闘いを組合員たちの先頭で切りひらいてきたのである。

こうして今全国大会の最大のテーマは、二三春闘の総括、とりわけ「一〇万円措置」問題となったのだ。発言した七人の代議員のうち四人、持株グループ本部、ドコモ本部、コミュニケーションズ本部、西日本本部の代議員が、次のようにこの問題をめぐって中央本部を批判し追及した。

「『年間一〇万円』を実現できなかったことは、組合員の大きな期待に応えられなかったものと受けとめる。中央本部は二三春闘を厳しく総括せよ」、「分会は厳しい組織運営を強いられている。中央本部は『重く受けとめる』という言葉だけでなく、具体的な行動を示し、次年度いこうの労使交渉等に覚悟をもって臨むよう要請する」と。また、「交渉過程や決着段階、妥結直後の情報共有や認識あわせが不十分で、組合員に十分に説明ができなかった。特に、『生活防衛の措置』を断念した経緯は非常にわかりづらく、職場段階で混乱を生じた」と。

各企業本部の幹部であるこれら代議員たちがこのように中央本部を批判したのは、彼らが各級機関などにおいて多くの下部組合員・下級機関役員らの猛烈な批判・突きあげにさらされてきたからにほかならない。いまNTTグループの職場では、「こんな賃下げ妥結は絶対に受けいれられない」「こういうときにこそストを打つべきだ、なんのためのスト権確立なのか」「組合員を無視した独善的な組合運営は許せない」などの意見が渦巻き、本部への批判がかつてなく噴きあがっているのだ。

〔他方、悪質な右派幹部どもは「会社側がのめない要求をだしたことが失敗だった」などと右から本部を〝批判〟するかたちで、実は本部を擁護し支えたのだ。〕

この下部組合員の弾劾の声を突きつけられた中央本部労働貴族どもは、委員長・鈴木を先頭に次々と「率直におわびする」などと坊主懺悔的に〝謝罪〟を表明した。もちろんそれは、組合員の批判をかわし・のりきるための形式的・欺瞞的なものにすぎない。彼らは「①過去十年間で最高水準の引き上げ幅になった、②すべての雇用形態の賃金改善を引き出せた、③特別手当（ボーナス）については昨年妥結水準以上を確保した」と、今春闘の実質賃下げ妥結をあくまでも「成果」と強弁し開き直ったのだ。そのうえで「みなさんからいただいた意見・問題提起をふまえ、次期春闘にむけた検討につなげていく」（事務局長・柴田謙司）と総括論議を終息させたのだ。

こうして、春闘総括をふくむ「二〇二三〜二〇二四年度中期運動方針」は承認されてしまった。とはいえ本部役員選挙では、鈴木が委員長として再任されたが、獲得した信任票は一七三票中わずか一一九票にすぎなかった。実に三分の一以上の代議員が鈴木に実質不信任を突きつけたのだ。本大会論議においても「いかなる戦術を行使しても、これ以上の前進はみこめなかった」などと下部の批判に恫喝で応えた鈴木、この鈴木を頭とする中央本部労働貴族どもにたいする批判・不信・反発が組合員のあいだに広く深く渦巻いているのである。

## 中央本部の二三春闘の反労働者性を弾劾せよ！

中央本部労働貴族どもは一片の〝謝罪〟で下部組合員をたぶらかし、みずからの春闘方針・賃金闘争路線を護持し、さらに貫徹していこうとしている。

われわれは、今こそ彼らの春闘方針の反労働者性を暴きだし徹底的に弾劾し、彼らの指導する春闘をのりこえてゆくのでなければならない。

中央本部は、二三春闘要求として「月例賃金二%」「生活防衛の特別措置（一時金）一〇万円」を掲げた。この要求じたい、「物価上昇と賃金は関係しない」と主張する経営陣に忖度した（だから月例賃金要求は超低率な「二%」に抑えた）うえで、〝一時金であれば容認してくれるにちがいない〟と経営陣の〝温情〟に期待したものであった。組合員の生活を改善するために大幅な賃上げを要求し、組合員の力を結集してかちとるのではなく、つねに経営陣の許容する範囲内に賃金要求を切り下げ自制しているのが中央本部なのだ。

だが「一〇万円の特別措置」さえも強欲な経営陣は一蹴した。ＩＯＷＮ構想をうちだし・デジタル覇権をめぐる世界的大競争に打って出ている経営陣は、いまIOWN実現のために莫大な資金を必要としている。新中期経営戦略では、向こう五年間で成長分野に八兆円、既存分野とあわせて一二兆円もの投資を計画している。そのために経営陣は、「一時金一〇万円」というささやかな要求をさえ傲然と拒否したのだ。

ところが、このような経営陣の姿勢に直面した中央本部は、理不尽な経営陣に抗議し闘争を強化するのではなく、シッポをまいて要求そのものをとり下げたのである。中央本部は、ストライキ権を確立しているにもかかわらず、それを行使することなど端から考えもしなかった。彼らはまさにみずからが経営陣の下僕でしかないことを露わにしたのである。

中央本部労働貴族は、賃金を「人財への投資」ととらえ、企業の業績向上に貢献した労働者に重点をおいた「賃金改善」を求める。彼らはNTTグループの成長・発展をいかに成し遂げるかを経営陣と懇談する労使協議に、また〝賃金を上げたければみずからのスキルを上げ、生産性向上に寄与する労働者になれ〟と組合員を〝教育〟する儀式へと春闘をねじ曲げているのだ。

中央本部は、「継続的かつ安定的な賃金改善こそ重要」という今春闘時の「会社見解」に依拠して、来春闘に臨むとしている。しかし、二三春闘を徹底的に抑圧するための口実として経営陣が唱えたこの文言にすがりつくことは、来春闘を企業経営によりいっそう従属させふたたびみたび敗北に導く反労働者的所業ではないか。このような中央本部の裏切りを決定しているのが、「NTTグループの成長・発展が組合員の雇用の安定と労働条件の維持・向上に資する」という誤った考えにもとづいて、「NTTの経営戦略を実現すること」こそを組合運動の任務とするという反労働者的な組合運動路線にほかならない。

戦闘的・革命的労働者のみなさん！

中央本部による欺瞞的「春闘総括」によるのりきりを許すな。企業の経営労務施策に従属する春闘へのねじ曲げに反対しよう。職場からNTT春闘を戦闘的に再生するために奮闘しよう。ともにたたかおう！

## ＪＰ労組第16回定期全国大会

# 「事業再生」を掲げ経営陣に全面協力する本部に怒り噴出

二見宗孝

ＪＰ労組第十六回定期全国大会が、二〇二三年六月十四日から十五日にかけて沖縄県宜野湾市で開催された。ＪＰ労組本部は、今大会において、二三春闘での超低額妥結と夏期冬期休暇の大幅削減への圧倒的多数での承認を取り付けるために、全国の地方本部にのりこんで官僚的に「妥結承認」を迫ってきていた。だが大会では、本部の思惑を超えて彼らへの不満や批判が代議員から続出した。しかも本部が提案した第一号議案（運動方針案）にたいして、ＪＰ労組結成以来最大の代議員数の約三割・一二八票（賛成三二七）もの反対を突きつけられて顔面蒼白となったのが本部労働貴族どもである。実質上の不信任を突きつけられ驚き慌てた本部は、居並ぶ代議員・傍聴者の目前で各地本委員長を呼びつけ「夏期冬期休暇の見直しを会社・当局にちゃんと説明させろ」などと、なりふり構わず官僚的・自己保身的な責任転嫁をやったのだ。ふざけるな！

今大会において、経営陣につき従い二年にわたって夏期冬期休暇の削減案を組合員にごり押ししてきた本部の反労働者性が、鮮明に浮き彫りになったのだ。本部への批判の噴出は、わが郵政労働者委員会を先頭に、革命的・戦闘的労働者たちの職場生産点からの奮闘によって、職場からマグマのように吹き出たものにほかならない。わが委員会は、今大会を戦闘的につくりかえるために、「二三春闘の超低額妥結の承認を否決せよ！」「夏期冬期休暇の売り渡しを許すな！」と訴えたビラを全国の職場に送付した。これに鼓舞された郵政のたたかう労働者たちは、職場から論議をつくりだし、「休暇削減は認めない」「勝手に決めるな！」という、人員不足で休暇すらまともに取れない組合員からの怒りを組織してきた。

今大会で示されたものは、組合員の夏期冬期休暇削減への怒りであり、「中期経営計画」にもとづくDX推進や三万五〇〇〇人削減を無慈悲に強行する経営陣への怒りでもあるのだ。そして同時に、JP労組の運動を事業を支えるものへと変質させ、組合員を犠牲にして「事業の再生」に駆りたてる本部への不信・抵抗なのだ。

たたかう郵政労働者のみなさん！　怒れる労働者を組織し、JP労組の戦闘的強化のためにともに奮闘しよう！

## 夏期冬期休暇の売り渡しに批判が続出

（一）今大会で、論議の白熱点となったのが本部による「夏期冬期休暇の売り渡し」である。郵便物流部門の労働者は夏期二日・冬期二日も削減、金融窓口部門の労働者は夏期二日・冬期一日削減という郵政労働者にとって耐えがたい削減を、本部は二三春闘で妥結しその承認を組合員に迫った。姑息にも不信任を減らすために、第一号運動方針案のなかに夏期冬期休暇の妥結などを潜りこませ提案したのだ。
冒頭の挨拶に立った委員長・石川幸徳は、「全世代の基本給引き上げとなるよう夏期冬期休暇見直しについて賢明な判断を」などとほざき、議案提案した書記次長・山田裕行は、「夏期冬期休暇削減を受け入れなければ一時金に影響が出てくる」などと、夏期冬期休暇をたった一七〇〇円で売り渡したことを正当化する発言をおこなったのだ。

　これにたいして、代議員からは批判が続出した。大会開催地として最初に発言にたった沖縄地本は、例年であればホスト地本として本部案賛成を表明するところを、かねてから夏期冬期休暇削減に賛成していたにもかかわらず、なんら賛成を表明しなかった。組合員の不満の噴出を言外に示したのだ。会場がもっとも多くの拍手で包まれたのが近畿地本の発言であった。「職場からは見直し反対の声が多くあがっている、反対する」と明確に反対を表明しただけでなく、「非正規社員にも現在の正社員と同様の日数を求める」と発言したからである。他の地本からも、「本部案了」と表明しつつも次々と批判の発言がされた。「苦渋の判断やむをえない……見直しを前提にした出来レースとの受け止め多い」（東北）、「組合員から組織にたいする厳しい意見、見直すべきは他にも多くある、二分する厳しい論議をしてきた」（関東）、「断腸の思いだ」（南関東）、「理屈抜きで納得がいかない、苦渋の決断……（休暇問題の）旧二十条裁判は、（日本郵便会社にかかわる裁判であり）、金融二社は当事者ではない」（東京）、「現場では介護や育児で休暇は絶対に必要」（東海）等々と……。このように代議員たちは、組合員の生の声を発言した。このことは、各地方本部が下から突き上げられ、本部案賛成にまとめきれなかったことを示している。いやこの事態こそは、郵政のたたかう労働者たちを先頭にした組合員の休暇削減への批判の噴出いがいのなにものでもない。会場から湧き上がる本部批判とそれに賛同するかけ声と拍手に圧倒された本部はみるみる顔色を失い、答弁にたった本部役員の手は震え「今回の休暇見直しがなければ五・一一％の賃金改善はなかった」などと弱々しく居直るしかなかったのだ。

　しかも本部は、休暇削減承認を前提にして、意図的に「計画年休の連続休暇取得」の協約化の問題にずらして居直ろうとした。だが、夏期冬期休暇全廃案を掲げ本部案に賛成してきた中国地本ですら、「慢性的要員不足の状況で連続休暇取得は非現実的である」という意見を述べた。多くの地本から「増員しなければ現実味がない」と疑問や批判が浴びせられた。

そして、「同一労働同一賃金は低位平準化がスタンダード」（近畿）とか「決定プロセス、最終判断、もっと丁寧な組織運営を」（東海）など、春闘で会社案をひきだし全国大会で決定するという中央委員会決定を反故にして妥結承認を迫る本部への批判もだされた。

夏期冬期休暇削減によって労働者の労働日を増やして働かせ、休暇の補充要員を削減し、見返り分として支払う賃金以上に人件費を削減することを目論んでいるのが経営陣だ。これにつき従う本部は、組合員の批判を蹴飛ばし「上方平準だ」「二年もかけて議論し民主的におこなった」などと居直ったのである。だが本部の居直りを許さず、たった「一七〇〇円」の「見返り」と引きかえに夏期冬期休暇を売り渡した本部への実質上の不信任が組合員から突きつけられた。これが今大会で示された事態の意味なのだ。

（二）今春闘の賃上げを欺瞞的にも「五・一一％の賃上げ改善」などと強弁したのが、来賓として挨拶に立った日本郵政社長・増田寛也であった。増田は「組合員のみなさんの意欲向上を促進するため、勇気をもって決断した」などとうそぶき、〝中期経営計画の成長ステージへの移行に協力せよ〟と居丈高に言い放った。これに呼応して、賃金改善ができたとおしだしたのが本部だ。「民営化以降最大のベアを勝ち取れた」と。だが、夏期冬期休暇剥奪の見返り分や、今回限りの「特別一時金」はベースアップとは何の関係もない。これを含めて物価高を上回る五％以上の「賃金改善」などとおしだすこと自体が組合員をバカにしているではないか。多くの郵政労働者は夏期冬期休暇削減の見返り分を除けばたった一〇〇〇〇円の賃上げでしかなく、低賃金の一般職も一万円以上といっても夏期冬期休暇売り渡し分を含めたものであり、狂乱的な物価高のもとで一瞬にして吹き飛び実質賃金が切り下がるものでしかない。

期間雇用労働者にいたっては時給単価の引き上げはゼロであり、生活破壊を招く許しがたい妥結なのだ。

しかし、代議員からは本部にたいする批判の声はあがらなかった。各地方本部が妥結結果を職場集会などで組合員に報告し意見集約をしてこなかったからである。それゆえに「本部の賃金交渉に感謝する」などとお茶を濁したのだ。それでも「物価高にたいして賃上げが追いついていない」「二四春闘で全世代の継続した賃上げを求める」と発言した北海道をはじめ東海、四国などから二四春闘への要望がだされた。

## 人事給与制度改悪への加担を許すな！

経営陣は二三春闘交渉で、本部にたいして「人事給与制度の見直し」をおこなうことを突きつけた。定期昇給や退職金制度の改悪、扶養手当や調整手当の廃止、一般職と地域基幹職一・二級の職種統合による賃金の低位平準化など、人事給与制度の改悪をもくろんでいるのだ。これに呼応して本部は、「将来を見据えたあるべき人事給与制度の構築等に向けた取り組み」などと称して経営陣との労使協議をすすめることに合意したのだ。本部は大会の場で、「事業の見通しが厳しい状況において、同一労働同一賃金の実現に向けて限られた財源をもってどのように再構築していくのかがポイントだ」などと組合員に説教をたれ、この合意の承認も強行したのだ。

代議員からは、「一般職と地域基幹職一・二級の統合は下方平準とならないよう求める」（東北、東海）、「経営の厳しさを理由に単なる制度廃止論に陥ることは絶対許されない」（南関東）、「退職手当制度は、生涯設計に大きく影響することから安易に変更するような制度ではない」（近畿）、「丁寧な組織内議論を求める」（北陸、中国）という注文や反発が投げかけられた。

だがしかし、事業展望にたいする経営陣の危機感をわがことのように共有する本部は、「郵政グループの現状と事業の持続性を見通せば単純に上位平準化は困難」などと語り、人事給与制度の改悪にともなう痛みを甘んじて受け入れるように組合員に迫ったのだ。ふざけるな！

さらに、「丁寧な組織内議論を求める」声をも足蹴にして、「速やかに人事給与制度の検討チームを本部内に立ち上げる。早期に改善がはかられると判断できる場合は、個別に協議を進める」と言い放ったのだ。まったくもって許せないではないか！

郵政労働者を低賃金に釘付けにし、さらなる貧困を強制する経営陣とこれに加担する本部を断じて許すな！　人事諸制度の改悪を打ち破る闘いを職場からつくりだそう！

## 「未来創造プラン」を掲げ人員削減・労働強化に協力する本部

われわれ革命的・戦闘的労働者は、郵政経営陣による三万五〇〇〇人の削減攻撃に反対する闘いを職場生産点から創造してきた。とりわけ「新たな要員算出標準」なるものをふりかざした郵便集配・窓口部門における首切り・強制配転・労働強化の攻撃をはね返すために、多くの組合員の怒りを結集して本部を突き上げたたかってきたのだ。追いつめられた本部は、意図的に職場課題を議案から削除し意見の封殺をはかったのだ。

それにもかかわらず大会では多くの代議員から、「要員不足によって超勤を前提にした業務運行が日常的」とか「計画休暇を取得するために廃休（週休日を返上して出勤）している実態だ」など、労働者への負担増大（労働強化）と、その深刻さが訴えられた。

しかし本部は答弁において、「人材獲得競争社会において安定的に若年層を確保していくことは難しい。放置していては事業も加速度的に衰退してしまう。業務の効率化をはかるしかない」などと効率化の問題にずらして、これらの発言を蹴飛ばした。本部は、はなから人員増の要求を放棄し、経営陣による「配達区画の見直し」や「郵便窓口の一体化」などの大幅人員削減・労働強化をもたらす業務の再編・効率化に積極的に協力していくことを居丈高に表明したのである。本部は、「郵便事業の再生」を掲げ、そのために他企業（佐川・ヤマト・アマゾン）との協業をおしすすめる経営陣に呼応し、人員不足で悲鳴をあげる労働者にさらなる負担を強いようとしているのだ。許せるか！

また本部は、今大会において「未来創造プラン」なるものを決定した。「職場に主軸をおいた活動への転換」と称するこの方針は、「事業の再生」のための「運動」を職場からつくりだすこと、そのために職場末端まで生産性向上のための労使協議を徹底させ、これを担う役員づくりを積極的に展開していく、というシロモノにほかならない。労組みずから労働者をさらなる首切りや労働強化にたたきこむものなのだ。

代議員からは、「現場役員の業務負担軽減や協力体制の構築が必要だ」（東北）、「経営は会社の責任、業績結果を働く者だけが背負うわけにはいかない。そもそも事後対処方式（施策の実施後に対処する交渉ルール）で安全最優先の業務運行が確保できるか懸念」（東京）、「会社・事業ごとに分けた対応は、組織の分断に拍車がかかる」（近畿）など、劣悪な職場状況で組合業務を担う組合役員への負担が大きいことや本部の交渉姿勢などに多くの注文がだされた。

こうした意見を無視して本部は、「会社事業ごとのユニット体制を構築し職場活動を中心とした活動サイクルへと転換する」などと称して「未来創造プラン」をおし通した。

現場役員が社員として過酷な業務に駆りたてられることによって、職場活動が停滞し、前回大会比で七〇〇〇名を超す組合員が減少している。まさに組合の危機は、組合運動を「事業の再生」に奉仕する運動へと歪曲し、経営陣のうちだす施策をことごとく丸呑みしてきた本部が招いた現実なのだ。

しかし本部は、「運動の再生」の名のもとに組合役員を「事業の再生」にさらに駆りたてている。彼らは、労働者を階級的に組織し団結をうち固めるのではなく、「労使運命共同体思想」にどっぷりとつかり、労働組合を事業政策を担う組織へと変質させているのだ。断じて許してはならない。

## 岸田政権による大軍拡・憲法改悪攻撃を打ち砕け！

今大会では、昨年の大会に続きウクライナ郵便労組代表からのビデオメッセージが紹介された。「戦争が続くなか、みずからの生命をリスクにさらしながら郵便局員たちは職場にとどまり業務を継続している。困難ななかで経営側との交渉で賃上げもかちとっている」、「われわれの団結力はかつてないほど高まっている。近い将来、わが国は勝利し世界に見本を示すことになる」。このように戦時下において も労組としての使命を果たし、プーチンの侵略を団結して打ち砕くまでたたかう、彼らの熱い決意がビシビシ伝わってきた。そして、JP労組組合員の支援行動にたいしては「お金以上に善意を信じ、生きる希望を感じた」と心をこめて感謝の挨拶がされた。われわれ革命的・戦闘的労働者が、〈プーチンの戦争〉を打ち砕くために、ウクライナの郵便労働者と真に連帯し職場からたたかってきたことへの連帯の挨拶と言えよう。

だが本部は、ウクライナ郵便労組の仲間からの熱い連帯の挨拶に応えることなく、ロシアの軍事侵略にあえて触れず、「特別決議」で「恒久平和」をから叫びしたにすぎない。

大会では、各地本の代議員がプーチンのロシア軍がウクライナへの侵略を今も継続していることに懸念を示すとともに、平和運動の必要性について語った。「今も基地問題や日米地位協定等、多くの課題がある」（関東、東海）、「国の基本政策にかんするJP労組の問題意識を明確にせよ。安保関連三文書は戦争のできる国へと変貌させる、阻止する取り組みを」（近畿）、「在日米軍基地の縮減や原発再稼働に反対する運動など平和にたいする積極的な発信を」（南関東、東海）など、本部の「平和運動」への注文が続出した。だが本部は、安保・原発・エネルギー政策を議論することはよいが、対応は明確にしない、などと称して代議員の意見を抹殺したのだ。

本部は、大会三日目に「フィールドワーク戦跡地めぐり」を実施した。彼らは、「平和運動」を過去の沖縄戦の悲惨さを学ぶことにきりちぢめた。「中国や北朝鮮の脅威が高まるなか、国民の財産を守るための国防は重要な政策」(委員長・石川)などとほざいたことにも明らかなように、岸田政権の大軍拡・憲法改悪の攻撃を事実上容認しているのだ。本部の語る「平和運動」なるものは、基地撤去なき安保是認の運動にほかならない。

郵政職場でたたかう郵政労働者は、こうした本部をのりこえ、ウクライナでたたかう労働者・人民と連帯して「プーチンの戦争を打ち砕け」と檄をとばし、職場からウクライナ反戦の闘いをつくりだしてきた。そして同時に、大軍拡・憲法改悪に反対し、岸田政権の軍拡財源法・軍需産業強化支援法の制定を阻止する闘いをつくりだしてきた。

いまこそ本部の裏切りを許さず、ウクライナ反戦闘争の戦闘的高揚をかちとろう。同時に岸田政権の大軍拡・憲法改悪に反対する闘いを職場生産点から断固として創造しよう。

六月二十四日の民間軍事会社ワグネル・「プリゴジンの反乱」は、〈プーチンの戦争〉が敗北へと突き進みはじめたことを、そしてＦＳＢ強権型支配体制そのものの終わりの始まりをも示しているのだ。いまこそわれわれはウクライナで戦う労働者・人民、ロシアの地でプーチンの弾圧に抗してたたかう労働者・人民と固く連帯し、〈プーチンの戦争〉を打ち砕くためにたたかうのでなければならない。

すべての郵政労働者のみなさん！　郵政経営陣は、「事業の持続的発展」を叫びたて、労働者に首切り・配転・労働強化の熾烈な攻撃をふりおろしている。労働者が低賃金と労働強化に怒り、うち震えているいま・この時に、本部は経営陣に服従し事業再生のための労使協議に突進している。「労使運命共同体思想」に骨の髄までおかされ、労働者を生産性向上に駆りたてる本部を断固として弾劾しよう！　労働者の階級的団結をうち固め、ＪＰ労組の戦闘的強化をかちとるために奮闘しよう！

（二〇二三年七月二十三日）

関東大震災一〇〇年

# 許すまじ国家犯罪――朝鮮人大虐殺・労働運動指導者の殺害

今二〇二三年の九月一日は、関東大震災からちょうど一〇〇年目に当たる。一九二三年九月一日に相模湾北西部を震源として発生した大地震は、約一〇万五〇〇〇人もの死者・行方不明者をだす大惨事を引きおこした。

日本の労働者階級は決して忘れてはならない。この大震災のただなかで警察や軍が組織した「自警団」によって七〇〇〇人もの朝鮮人が虐殺されたことを。そして数多の労働運動の活動家や社会主義者が軍・警察によって惨殺されたことを。この虐殺を組織し実行した者の多くは、のちに日本軍国主義のアジア太平洋侵略戦争を主導した連中だ。その末裔というべき極反動分子どもが、いま日本国家を「戦争をやる国」へと改造する攻撃を労働者・人民にふりおろし、戦争に反対する労働組合や学生自治会にたいする弾圧・破壊攻撃に狂奔しているのである。この攻撃を粉砕するためにこそわれわれは、国家暴力装置の一〇〇年前の犯罪を銘記するのでなければならない。

## 政府・内務省、警察・軍が虐殺を煽動

朝鮮人大虐殺は、震災の大混乱のなかで「朝鮮人が水道に毒を入れた」などのデマに流された〝われを忘れた民衆〟の自然発生的行動などというものでは断じてない。朝鮮人や社会主義者・労働運動活動家が暴動を企てているというデマは、政府・支配階級が意図的に流したのであり、内務省や警察、そして軍が虐殺を煽動し、また直接手を下したのである。

震災発生の翌日に成立したばかりの山本権兵衛内閣は、緊急勅令によって東京市と周辺五郡に戒厳令を布告し、三日に東京府全域と神奈川県に、四日には千葉県と埼玉県に拡大して戒厳令を敷き、軍を出動させた。内務省は二日に、警保局長名で、朝鮮人が各地で放火しているので厳しく取り締まれ、との通牒を全国に打電した。翌三日には、全国の知事宛に「朝鮮人は各地に放火し、不逞の目的を遂行せんとし、現に東京市内に於いて爆弾を所持し、石油を注ぎて放火するものあり」「鮮人の行動に対しては厳密なる取締を加えられたし」との電文を発信したのである。

これにもとづき、各地で警察官などが「朝鮮人が放火してまわっている」とふれてまわり、「自警団」の組織化を促した。東京・横浜や千葉・埼玉・群馬などで青年団・消防団・在郷軍人会などが竹槍・日本刀・棍棒・鳶口などで武装した「自警団」を組織した。この「自警団」が通行人を誰何《すいか》し拘束して、朝鮮人とみるや問答無用で惨殺したのである。

殺したのは朝鮮人だけではない。中国人労働者や「疑わしい」とにらんだ日本人までも、警察・軍隊の公認のもと衆人環視下で虐殺したのである。これはまさに天皇制ボナパルティズム権力による国家犯罪にほかならないのだ。

東京府南葛飾郡亀戸町(現・東京都江東区亀戸)では、当時頻発した労働争議で労働者を指導している労組活動家や社会主義者ら十名を亀戸警察署が予防検束した。この十人を、戒厳出動していた習志野騎兵第一三連隊が、亀戸署内で、あるいは荒川放水路で刺殺した。これが「亀戸事件」である。手を下した軍

は、戒厳令出動下にあったという理由でなんの咎《とが》めもうけなかった。

そしてまた、労働運動・社会運動の指導者とみなされた無政府主義者の大杉栄と、作家の伊藤野枝が、六歳の甥とともに九月十六日に憲兵隊特高課に連行され、憲兵隊司令部で惨殺された。いわゆる「甘粕事件」である（「大杉事件」ともいう）。憲兵隊は三人の遺体を司令部の敷地にあった古井戸に投げこんで隠ぺいを図ったが発覚し、分隊長の憲兵大尉・甘粕正彦が手を下したとして軍法会議で禁錮十年の刑となった。この事件でも、陸軍や憲兵隊の責任は問われることなく、部下も上官の命令に従っただけだとして無罪とされた。

当時の日本の天皇制ボナパルティズム権力は、これらの事件を、報道管制をしいて隠蔽した。朝鮮人大虐殺や社会主義者・労組活動家の惨殺を計画・煽動したものたちは罪を問われることもなく、政府諸機関や軍・警察の要職の一角をかため、軍国主義日本のアジア太平洋諸国への軍事侵略・植民地支配を主導することになった。たとえば甘粕は、軍法会議で禁錮十年の判決を受けるも恩赦で刑期七年に減刑されただけでなく秘密裏に保釈となり、満州に渡って特務機関で暗躍し満州事変にかかわった後に、岸信介によって満州映画協会（満映）の理事長に据えられたのだ。

## ロシア革命の波及への恐怖

関東大震災の発生した一九二三年は、日本が一九一〇年の朝鮮併合によって朝鮮を植民地にしてから十三年目である。一九一七年にロシアでは、レーニンとトロツキーに率いられた労働者・農民・兵士がソビエトを結成して武装蜂起しプロレタリア革命を史上はじめて実現した。これが抑圧された全世界の労働者・人民に限りない勇気と希望を与えた。各国で労働運動や植民地独立闘争が高揚した。

朝鮮では、日本帝国主義＝朝鮮総督府の武力をもってする強権統治に反対して、一九一九年「三・一独立運動」が起こった。日本からの独立を求めた学生数千人がソウル市内の公園に結集して「独立宣

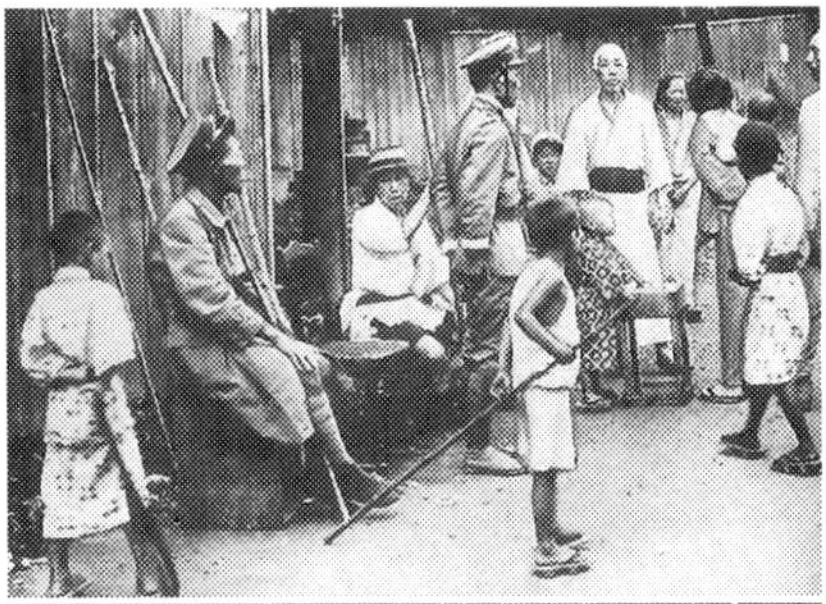

（上）竹槍で武装した「自警団」（東京麻布）
（下）拘束された朝鮮人（千住警察署）

言」を読みあげ「独立万歳」を叫んで市街のデモに決起した。これに労働者・人民が合流して、デモは数万人の規模に膨れあがった。これに驚愕した朝鮮総督府は、決起した朝鮮人民を警察権力・軍による武力で鎮圧したのだ。死者数千人、負傷者一万人以上、逮捕者は四〇〇〇人以上にのぼったといわれる。

日本国内でも、労働運動が興隆し、日本資本主義の基幹をなす造船所、製鉄所、軍工廠、鉱山において労働者が労働争議＝ストライキに決起し、労働組合を相次いで結成した。「亀戸事件」で惨殺された労働運動の指導者たちは、この日本労働運動の先駆者たちであった。

こうした朝鮮人民の独立運動の高揚、日本国内での労働運動、社会主義・共産主義運動の勃興に恐怖したのが、日本の支配階級にほかならない。実際、「不逞鮮人」のとりしまりを口実に大震災下の首都圏への戒厳軍の出動を主導した内務大臣・水野や警視総監・赤池は、四年前にはそれぞれ朝鮮総督府の政務総監、警務局長として「三・一独立運動」に決起した朝鮮人民に血の弾圧を加えた張本人である。日本の植民地支配への朝鮮人民の怒りの爆発を何よりも恐れていたのが彼らなのだ。

われわれは、朝鮮人大虐殺や「甘粕事件」「亀戸事件」などが、一九一七年のロシア・プロレタリア革命の波及によって日本の地において勃興した共産主義運動、労働運動にたいする、そして日本の植民地支配に反逆した朝鮮人民の闘いの高揚にたいする恐怖と階級的憎悪にかられて日本政府・軍・警察権力がおこなった国家的犯罪であることを決して忘れてはならない。

## 天皇制権力の犯罪の抹殺狙う政府・極反動分子

戦後、隠蔽されてきたこれらの事件の実態が、良心的な法曹関係者や学者の調査・研究によって国家犯罪として明らかにされてきた。そして、毎年九月のこの時期に合わせて、虐殺された朝鮮人民や労働運動指導者らの追悼・慰霊の取り組みも、二度とこのような事件を起こさせてはならないとの決意のもとに各地でおこなわれてきたのである。

だがいま、この政府・警察・軍が組織的におこなった国家犯罪をなかったことにしようとしているのが、歴代の自民党政権や右翼ファシスト分子どもである。

政府・文部科学省は歴史教科書から「朝鮮人大虐殺」の記述を検定で大幅に削除させたり、「虐殺」ではなく「殺害」などと表記を変更させたりしている。そして政府・警察権力・軍が関与した組織的な虐殺事件はなかったことにし、むしろ「出動した警察や軍隊は朝鮮人を暴徒の襲撃から保護しようとしていた」などという大ウソをまことしやかに描かせようと腐心しているのだ。

さらに、毎年九月一日に営まれている・虐殺された朝鮮人の追悼式典には、東京都知事が追悼のメッセージを寄せるのが慣例となっていた。だが、現知事・小池百合子は、就任一年目を除き、二〇一七年から今二〇二三年までの七年間、「亡くなったすべての方々に哀悼の意を表しており、個々の行事には送付を控える」と称して、主催者からの要請を受けても、追悼メッセージを頑なに拒んでいるのだ。

中国で日本軍がおこなった「南京大虐殺」はなかった、従軍慰安婦は強制ではなかった、というのと同様に、関東大震災での日本の政府・軍・警察が犯した国家犯罪を歴史から抹殺しようとしているのが、政府・支配階級内の極反動分子どもなのである。この連中は、日本をアメリカとともに「戦争をやる国」へと飛躍させるためにこそ、軍・警察の犯罪を歴史から抹殺せんとしているのだ。

## 米日韓の核軍事同盟強化を許すな

ロシアのウクライナ侵略を発火点にして、東アジアにおいても米・日・韓―中・露・北朝鮮が軍事的角逐を一気に激化させている。習近平・中国は台湾の軍事的併呑をも準備して対米・対日の核戦力強化に突進している。ロシアの全面的な軍事的支援のもとに北朝鮮・金正恩政権は、対米のＩＣＢＭ開発に狂奔するとともに、対韓・対日の核戦力強化を一気に加速している。

この北朝鮮の軍事的脅威に直面している韓国・尹錫悦政権にたいしてアメリカ・バイデン政権は、「核の傘」の強化を約束するとともに、韓日関係の一挙的「改善」を強制してきた。このバイデン政権の強圧をうけた尹錫悦は、「元徴用工」問題をば、日本軍国主義の犯罪を居直る日本政府に全面的に屈服するかたちで「解決」したのだ。

尹政権は、今年の「三・一独立運動」記念式典での演説でも、「八・一五光復節」の記念式典での演説でも、日本の植民地支配と徴用工・従軍慰安婦問題などについての日本政府の責任に固く口をつぐんでいる。いや、むしろこうした尹政権を批判する民主労総傘下の労働組合や野党にたいして、「排他的民族主義と反日を叫びながら政治的利益をとろうとする勢力」などと悪罵をあびせ、尹錫悦はいま、大弾圧にうってでているのだ。

この尹錫悦の「日本は価値観を共有するパートナー」などという〝対日屈服姿勢〟につけこんで、一〇〇年前の朝鮮人大虐殺という国家犯罪にほおかむりを決めこんでいるのが、岸田の自民党政権であり、日本維新の会などの極反動分子どもなのである。

アメリカ・バイデン政権にテコ入れされ、米日韓の三角軍事同盟を核軍事同盟として強化している日本の岸田政権と韓国の尹政権が、いまともに旧日本軍国主義の国家犯罪を免罪していることを許してはならない。われわれはたたかう韓国の労働者・人民と連帯し、米日韓核軍事同盟強化反対、岸田政権の大軍拡・改憲阻止の闘いをたたかおう。

洪　成　潭　夫

# Create an antiwar struggle to break through the crisis of nuclear war erupting amid the clash between the US and China / Russia! Now is the time to smash *Putin's war*!

**The Executive Committee for the 61st International Antiwar Assembly**
-*Zengakuren* [All-Japan Federation of Students' Self-Governing Associations]
-Antiwar Youth Committee
-Japan Revolutionary Communist League (Revolutionary Marxist Faction) [JRCL (RMF)]

July 3rd, 2023

Workers, students and intellectuals all over the world!

A year and four months after the start of Russia's aggression against Ukraine, Vladimir Putin's detestable regime and its invading army have begun to crumble from within under the pressure of the resolute counteroffensive launched by the Armed Forces of Ukraine in unity with the toiling masses.

Yevgeny Prigozhin, the head of the 'private military company' Wagner, moved his armed mercenaries to occupy the headquarters of Russia's Southern Military District on June 23rd and pressed Putin to dismiss Defence Minister Sergei Shoigu and Chief of the General Staff Valery Gerasimov. Further, at his command, Wagner soldiers began marching towards Moscow and reached within 200 km of the capital.

At first, he had plotted the detention of Shoigu and Gerasimov, but changed it to the 'marching' immediately after he perceived his initial plot to have been leaked by someone to the FSB (Federal Security Service). Prigozhin cried out that the reasons for the so-called 'Special Military Operations', such as the 'threat of NATO' and the 'defence of Donbass people from Ukrainian neo-Nazis', are fakes and that 'We are against bureaucratism and corruption'. Putin was startled at this 'treason' committed by his dog Prigozhin, who now went so far as to openly deny the 'reasons' for the invasion of Ukraine. Terrified by thousands of Wagner troops closing in on Moscow, he declared a state of emergency in the capital.

By this 'rebellion' perpetrated by the chief of those mercenaries Putin nurtured, the FSB-helmed authoritarian ruling system of Russia is being shaken to its foundation.

Workers and students! Now is the time to finally defeat *Putin's war*.

The Russian invading army is losing its morale as the internal conflicts of its headquarters were laid bare. Against the Russian troops, Ukrainian Armed Forces, together with Territorial Defence Forces, are advancing day by day under the slogan 'Recover the occupied territories!' In reaction to this, the Russian army is shooting missiles day after day into Kyiv, Kramatorsk and other cities, thereby indiscriminately murdering Ukrainians. Early in June, war-crazy Putin made special operative units blow up the Kakhovka dam and caused a disastrous flood. In their death agonies, Putin and the Siloviks could blast the Zaporizhzhia nuclear power plant, and could even use tactical nuclear weapons.

Workers, students and intellectuals all over the world!

Putin, a 'Hitler of the 21st century', has plunged people into bloodbaths in Bucha, Mariupol and everywhere in Ukraine. Never let this criminal commit another crime! Let us create a gigantic struggle all over the world against Russia's aggression in Ukraine right now.

With Ukraine as a flashpoint, today's world, where the US and China / Russia are clashing head-on, is on the verge of a thermonuclear war.

In East Asia, Xi Jinping-led China, which is burning with an ambition to absorb Taiwan, is repeatedly carrying out domineering actions by surrounding Taiwan with aerial and naval forces. In

opposition to this, US and Japanese forces, together with forces from NATO allies, are now jointly carrying out the biggest ever military exercise in history. Kim Jong Un-led North Korea is also hell-bent on experimental launches of nuclear missiles, fully backed by Russia.

In the middle of this hair-triggering situation, the Fumio Kishida-led government of Japanese imperialism, in cooperation with the Biden-led US administration, is frantic to reinforce the US-Japan military alliance as a global defensive and offensive alliance against China and Russia. For this purpose, the Kishida government is rushing headlong to an unprecedented military build-up, which will boost Japan into the world's third strongest military power, as well as the reactionary revision of the Constitution.

Against the Kishida government's offensives to expand armaments and build up a pre-emptive attack system, we, Zengakuren, the Antiwar Youth Committee and the JRCL-RMF, are leading struggles in the van of Japanese working people. Furthermore, we have been appealing to the world, 'Crush *Putin's war*!' and 'Solidarity with Ukrainian people!' We have been building up a surge of the Ukraine antiwar struggle from workplaces and campuses across the country, while most of Japanese leftists have abandoned the struggle.

We are holding the 61st international Antiwar Assemblies on August 6th in Tokyo and six other cities in Japan. We call on working people all over the world to raise outcries together with us for an antiwar struggle to break through the danger of the outbreak of a nuclear war.

## Create a surge of Ukraine antiwar struggles all over the world!

Faced with the counteroffensive of the Ukrainian Forces closing in, Russian troops on frontlines are leaving their trenches one after another, while planting mines everywhere. Armed Forces of Ukraine and Territorial Defence Forces are steadily recovering occupied towns and villages one by one.

Forced into a retreat, the invading troops are now concentrating their missile and drone attacks on Kyiv, Dnipro, Kryvyi Rih, Kramatorsk, and other major cities, and brutally massacring Ukrainians. They are deliberately targeting populated areas away from frontlines, with the aim of hindering Ukrainian forces from redeploying their

surface-to-air missiles to frontlines. We denounce these indiscriminate massacres!

Ukrainian President Volodymyr Zelensky is requesting the US and European governments to supply stronger air-defence systems against Russian missile attacks and additional armaments for the counter-offensive. Western rulers, however, have supplied far less than his request both in scale and tempo. They are granting only limited armaments so as not to bring Ukraine an 'excessive victory', for fear that it might draw Russia's counterattack upon their own countries. Right now they are rather interested in making a good thing out of 'special procurement orders for post-war reconstruction'.

In these circumstances, Ukrainian forces, together with toiling people, have courageously put up their resistance despite the overwhelming armaments of Russian forces and beat back the invading troops successively. And now, at last, they have driven the FSB-helmed authoritarian ruling system with Putin at its head into an unconcealed internal division.

Workers, students and intellectuals across the world!

Although Putin-led Russia has been inflicting utmost brutalities on Ukrainian people for more than a year and is now even resorting to a nuclear threat, quite a few people who style themselves 'leftists' haven't expressed an iota of denunciation. That's utterly unpardonable!

There are some 'leftists' who are crying out for an 'immediate cease-fire and talks'. That is tantamount to pressing Ukrainians to surrender the occupied territories to Russia. But, if they call themselves 'leftists', they should, first and foremost, stand by the side of those people who are waging a life-risking battle against the invading army.

There are also some who say that this is 'a proxy war between NATO and Russia' and that 'both are to blame'. We must say those people who utter such words do not even face up to the reality that the invader is Putin-led Russia while those who are fighting against this invasion are Ukrainian working people.

Those self-styled leftists are trapped in a feeling that 'Russia, which was formerly a socialist country, is better than imperialism'. Fundamentally, this is because they have totally abandoned an honest confrontation with the anti-working class crimes that were repeated by the Stalinist Soviet Union, which proclaimed itself 'socialist'.

This war is a war of aggression, in the first place, which Putin, a 'scion of Stalin', launched with the aim of exterminating the state of Ukraine and its nation altogether and incorporating it into the Russian Federation. Yielding to this aggression means, to the Ukrainians, being plunged again into tyranny and poverty like those in Stalin's USSR. And that is why they are putting up resistance at the risk of their lives.

The autocratic state under the Stalinist bureaucracy called 'Socialist Soviet Union' had imposed brutal oppression and expropriation upon the toiling masses, thus becoming the target of their hatred. That was why it underwent self-destruction in 1991. Giving no reflection to this, Putin merely deploringly regards it as the 'greatest geopolitical catastrophe in the 20th century' and develops his ambition to restore the territories of the former Soviet Union (which were also those of the Russian Empire). Burning with such an insatiable ambition, this man launched aggression against Ukraine. This as such is a gravest crime of the century committed by the Great Russian chauvinist, a 'scion of Stalin' and at the same time 'today's tsar'.

We fight in solidarity with Ukrainian people battling indomitably to drive out the Russian invading army.

We appeal to Russian working people. Now is the time to rise in *a struggle to oppose the aggressive war against Ukraine and at the same time to overthrow the FSB-helmed authoritarian ruling system*!

We appeal to you, working people all over the world. Create Ukraine antiwar struggles across the world and besiege Putin, the bloodthirsty invader, with a surge of struggle of working people across the world. Now is the time to finally defeat *Putin's war*!

**Oppose the global nuclear military alliance against China and Russia! Oppose China's intimidating military actions!**

Here in East Asia, too, the clash between the US with Japan and China with Russia is causing a crisis of war.

The Xi-led neo-Stalinist state of China, which defines the absorption of Taiwan (or their so-called 'unification of the motherland') as 'the most crucial interest of all', is hell-bent on building up a military system to achieve it. In order to prevent the US military intervention, this regime has deployed intermediate-range missiles targeted at Tai-

wan like a line of spears. Its successive sabre-rattling actions, including drills for landing on the Taiwan Island, are nothing but intimidation of Taiwanese people, 'Unification, otherwise war'!

In reaction to this, the Biden administration is increasing military and political support to the Tsai Ing-wen-led Democratic Progressive Party government, which longs for Taiwan's independence. This administration is frequently sending US war vessels to transit the Taiwan Strait in the name of 'freedom of navigation'. In early June, a Chinese navy ship navigated right in front of an American destroyer to cut across its path. A volatile situation is brewing around Taiwan.

The Xi leadership of China, which is intent on achieving the state goal of building a 'great contemporary socialist country' that surpasses the United States by the year of 2049, is stepping up its challenge to US imperialism in all respects — military, political, economic and technological.

The Biden administration of the declining imperialist power, which can no longer contain China by its own power alone, is frantic to build up a global-scale nuclear military alliance against China and Russia, by integrating the triangular military alliance between the US, Japan and South Korea, together with AUKUS comprised of the US, the UK and Australia, with the North Atlantic alliance, NATO.

The G-7 summit meeting held in Hiroshima this May became the occasion where imperialist rulers all agreed to build a global military alliance against China and Russia. We denounce, with indignation, those rulers of the G-7 states for arrogantly declaring, in the atomic-bombed city of Hiroshima, that nuclear weapons are needed to prevent the use of nuclear weapons.

Japanese Prime Minister Kishida, who presided over the summit, is now playing a leading role in forming the anti-Chinese, anti-Russian global alliance. Kishida has invited NATO to establish its liaison office in Tokyo. The Japanese ruling class and its government, which are actively responding to demands from US imperialist rulers, are intent on building a strong military power that can actually conduct a war against China (and Russia). For that purpose, they are rushing headlong to a tremendous military build-up, which will boost Japan into the world's third strongest military power by expending 43 trillion yen in five years. In Okinawa and other Southwest Islands, they are constructing a huge US military base in Henoko and deploying

Japanese forces' missiles by trampling down people's strong protest movements with the use of police violence. Moreover, they are moving towards a reactionary revision of the Constitution of Japan aimed to nullify its Article 9, which states the 'renunciation of the right of belligerency of the state' and 'non-possession of war potentials', and to add an 'emergency clause' closely akin to the Nazi's Enabling Act. These comprise a historic reactionary offensive by which to realize at once all the schemes that the successive Liberal Democratic Party cabinets have not been able to achieve for 78 years since Japan's defeat in the Second World War.

Those labour aristocrats who control Rengo (JTUC), the largest national centre of trade unions, are giving a helping hand to Kishida's ultra-reactionary offensives, including the military build-up and the constitutional revision. The central leadership of the converted Stalinist party, which calls itself the Japanese Communist Party, has totally abandoned the organizing of mass antiwar struggles. Denouncing such unpardonable degeneration of the existing leaderships, we the revolutionary left are fighting resolutely against the massive military build-up and advancing towards the overthrow of the Kishida-led neo-fascist government of Japan.

We call on working people all over the world to create a powerful antiwar struggle, arm in arm with us, to break through the danger of a nuclear war arising from the head-on clash between the US and China with Russia.

Let us oppose the building of a global nuclear military alliance against China and Russia.

Let us oppose the intimidating military actions conducted by the Xi-led Chinese government.

## Fight back against the imposition of war, oppression, poverty and environmental destruction!

At this moment in time, in Syria, Palestine, Myanmar, Sudan and everywhere in the world, the toiling masses are plunged in the fires of war and being murdered in bloody repression by authoritarian rulers who deserve to be called 'petty Hitlers'.

In many developing and emerging countries, hundreds of millions of people are suffering from dire poverty and verging on starvation

due to harsh exploitation and expropriation perpetrated by the US, European and Japanese imperialist bourgeoisie, and due to still more unscrupulous expropriation by neo-Stalinist China, a Chinese version of neo-colonialism, so to speak, in which the Chinese government entices power holders into the economic sphere of 'One Belt One Road' by the attractive bait of money and finally takes control of their countries. A vast number of people are thus leaving their homelands and becoming economic refugees. This is not all. Because of environmental destruction, such as forest destruction and unrestrained land development, as well as droughts and floods caused by climatic changes, numerous people have to leave their dwelling places to become environmental refugees. — While the number of those refugees has exceeded a hundred million across the world, the US, European and Japanese governments, as well as far-right fascists, are taking ruthless actions to expel them by agitating for 'stricter public security' and 'My country first'.

What is more, the toiling masses of all countries are suffering great hardships in life due to skyrocketing price rises with the impetus of Russia's aggression against Ukraine.

In France, Britain and other countries, the working class is demanding wage raises by means of strikes and fighting back against cuts in pension and other social welfare services. Imperialist rulers are

hell-bent on suppressing their struggles with authoritarian repression.

The Xi-led Chinese government is oppressing poverty-stricken workers, peasant-workers and peasants under the authoritarian rule of neo-Stalinist bureaucracy, while ruthlessly applying bloody repression to Uighur and Hong Kong people.

US, European and Japanese imperialist rulers, Chinese neo-Stalinist rulers and Russian rulers of the FSB-helmed authoritarian state are all plunging their people into the depth of poverty at home, while externally, they are hell-bent on strengthening their nuclear military capabilities for launching another war of aggression. The cornered Russian regime with Putin at the top is about to blast a nuclear plant and further to put the finger on the nuclear button.

Workers, students and intellectuals all over the world!

Amid the head-on clash between the US and China / Russia, today's world is on the verge of the outbreak of a thermonuclear war. Let us unite beyond borders and create a tidal surge of antiwar struggles to break through the danger of a nuclear war erupting amid the clash between the US and China / Russia!

# Messages from Foreign Friends to the 61st International Antiwar Assembly

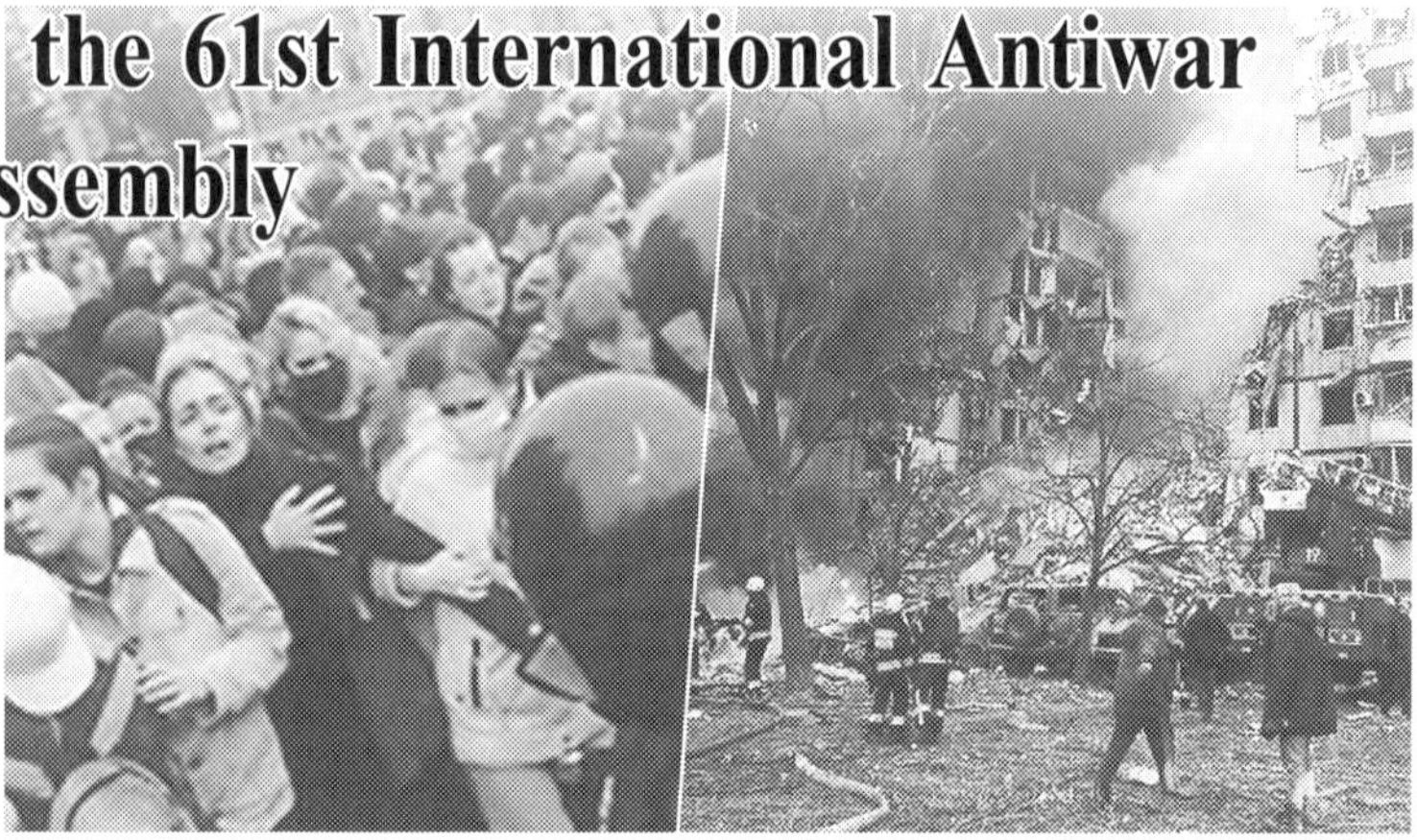

(Left) September 21st, 2022, Sankt-Peterburg, Russia
(Right) June 13th, 2023, Kryvyi Rih, Ukraine

## Editorial board of Spilne/Commons Journal

### Message to the 61st International Antiwar Assembly

We are approaching the 530 days of the Russian full scale invasion of Ukraine. During these days we have learnt that there are very few limits to this reactionary imperialist aggression, and even those still existing can be crossed in the future.

The Kremlin's neglect of life was once again demonstrated by the destruction of the Kakhovka Dam by Russian occupiers, which killed dozens of people and hundreds of animals, which devastated towns and villages. While the long-term environmental and social impact of this crime is still to be seen, it is one of the largest human-caused

disasters in Europe in recent decades. For Ukrainian society, it is ecocide and the worst environmental disaster since the catastrophe on the Chornobyl nuclear power plant. And we continue to live under the permanent threat of explosion or radioactive leaks at the Zaporizhzhia nuclear power plant - the biggest one in Europe, occupied by the Russian army since the very beginning of the full-scale invasion.

In July 2023 Russia quit the “grain deal”, which, despite the war, allowed the export of Ukrainian harvest through the Black Sea to different parts of the globe, relieving the food security crisis in those developing countries where the population is struggling with hunger. For several days in July in a row, Russia has been systematically shelling Ukraine harvest storages, destroying crops and obviously preventing them from being delivered to people worldwide. This strategy is accompanied by the hypocritical and cynical Kremlin’s self-presentation as a champion of anti-colonial and anti-imperialist struggle, as a “true” ally of the Global South.

On the 31st of July 2023 two Russian missiles hit an educational facility and a multi-storied apartment building in Kryvyi Rih, killing at least 6 people, including a child, and wounding at least 73, including 8 children. The previous attack on the city happened on June 12, killing 13 civilians. These are just two tragic episodes in the row of many during the 17 months of the Russian full-scale invasion of Ukraine. We are mentioning them specifically to bring attention to the city in the war zone, which for years has been an epicenter of labor militancy in Ukraine. Having previously reported from Kryvyi Rih about strikes on mines, in hospitals and industrial factories, we have to report about local victims of war now. Where workers were organizing the May Day demonstrations, demanding decent wages and expressing solidarity with labor struggles across the globe, people are mourning deaths caused by Russian imperialist aggression.

Several months ago one of our prominent authors Evheny Osievsky, who was 29 years old, was killed in action. A person of libertarian leftist and anti-war beliefs, he went to the army, being sure that Russian aggression must be repelled and that he must participate in this struggle, as many others do. Our social media feeds are filled with

obituaries about deaths of workers and independent labor unionists. These days Spilne/Commons and Ukrainian left broadly are mourning our editor, close friend and comrade, Oleksandr (Sasha) Kravchuk. Several weeks ago, being 37 years old and having no health issues before, he died in his sleep due to cardiac arrest. Avoiding any speculation, we must say that these 17 months were extremely tense and hard for all of us, and Sasha was taking responsibility for too many.

Russian imperialism is ruining our homes, sites, seeds and fruits of important struggles, killing workers and intellectuals, putting others under immense stress not everybody manages to go through, destroying nature and harvest, bringing hunger and devastation far beyond the geographical boundaries of Ukraine. With massive arrests and expulsion of the Russian antiwar and anti-imperialist activists, with years-long prison terms and murders of independent journalists, with assault on women and LGBTIQ+ rights, Putin's regime is becoming a leader in authoritarian and antidemocratic global tendencies. Building an alliance with other right-wing forces and governments around the globe, the Kremlin is becoming the number one challenge for the global progressive movements, yet underscored as such by far too many. With its nuclear threats and blackmailing it once again brings the world to the brink of a final disaster.

In this gloomy time of our history, we are feeling the immense support from anti-imperialist activists from all parts of the world. We use this support, trying to build the pass between the idealization and the demonization of the "Ukrainian side": knowing and criticizing many of the regressive measures and policies Ukrainian government has been implementing, we also know what the Ukrainian society is fighting against, and we know what we, as part of the anti-imperialist movements, are struggling against. We are asserting the words of the Russian Socialist Movement: "This "brave old world" [Putin is trying to create] would be a wonderful place for dictators, corrupt officials, and the far right. But it would be hell for workers, ethnic minorities, women, LGBT people, small nations, and all liberation movements."

We are calling the antiwar and anti-imperialist activists to support the struggle against this "brave old world". We are urging you to continue

your own contribution to the future without imperialist aggressions, antidemocratic right-wing and authoritarian assaults, nuclear threats, exploitational capitalism. We must have a different future or we will have none.

*Editorial board of* ***Spilne/Commons Journal***

## Борис Кагарлицкий

Дорогие японские товарищи!

Мы благодарны за вашу поддержку. Ситуация для тех, кто ведет антивоенную борьбу в России, как вы прекрасно понимаете, непростая, но с каждым днем противников войны становится всё больше. Мы уверены, что режим Путина идет к своему концу.

Уверен, что все вместе мы сможем добиться перемен, добиться мира без войн и угнетения. О своего имени и от имени коллег по редакции “Рабкора” желаю успеха 61 интернациональной антивоенной ассамблее.

Борис Кагарлицкий,
главный редактор канала и сайта “Рабкор”

## Solidarity

Dear comrades and friends —

Solidarity sends our best wishes for the success of your 61st International Antiwar Assembly. As your message emphasizes, it is our ob-

ligation to build an antiwar struggle of consistent anti-imperialism, whether that means U.S. and NATO, Chinese or Russian imperialism. We fully agree with your discussion of the criminal Russian invasion of Ukraine, and the importance of the Ukrainian people's victory in their struggle for their nation's survival.

We would only add that in this terrible summer of wildfires, drought and deadly floods in North America, Europe, east Africa and Asia, the need to abolish military spending and convert these resources to preventing ecological catastrophe is increasingly urgent. Forward to a world without war, oppression and exploitation.

With comradely regards,
Solidarity (USA)

## News and Letters Committees

To comrades of the 61st International Antiwar Assembly:

We at News and Letters Committees have been honored to participate with you in antiwar agitation since our founder Raya Dunayevskaya was able to speak in person with the youth in Zengakuren in 1964. We enthusiastically support your work to create this 61st International Antiwar Assembly. The past 17 months since Russia's genocidal full-scale invasion of Ukraine have witnessed increasing solidarity from workers, activists and people around the world with Ukrainian resistance to the erasing of their lives and national identity.

At the same time, the voices from fascist elements in country after country — such as from Trump supporters in the U.S. — have gotten louder in enabling Putin's tactics, even his constantly repeated threats to initiate nuclear war. The self-described Leftists who have joined with fascists in a so-called Red-Brown alliance to denounce Ukraine's fight for self-determination have been exposed for their reactionary

behavior much more publicly than for similar actions against Syrian revolutionaries.

Just as capitalist arms makers worked to maintain their bloated World War II profits by replacing the promise of peace with the permanent war economy, making the atomic bombs dropped on the civilian population of Hiroshima and Nagasaki the opening nuclear threat that still looms over us all, the defense of Ukraine has exaggerated the indispensability and inflated the profits of military suppliers. The same goes for the petroleum companies, for whom Russia's invasion not only multiplied profits but allowed them to sound patriotic in demanding that global dependence on carbon-based fuels be extended for decades, even as great rivers have been reduced to a trickle and deaths mount amidst the hottest days in 100,000 years.

Ukraine's fight for freedom has made clearer than ever that capitalists see war as a business opportunity. While they remain in charge, propped up by the best politicians they can buy, issues of war and peace, of life and death, come with a price tag. We have seen too many attempts to topple capitalist power which did not end class society. All the more reason at this time to seek a basis for revolution in the liberatory struggles that Karl Marx hailed, of the ongoing fights of Irish and Poles for self-determination, of uprisings of enslaved Blacks in the U.S. and serfs in Russia, and workers' control from every workshop to the 1871 Paris Commune. The solidarity in support of Ukrainians, and the solidarity at this conference, represent threads to a world without imperialist war, a world without capitalist war, a world without nuclear war.

For freedom,
Bob McGuire, for
**The National Editorial Board of News and Letters Committees,**
**July 31, 2023**

# Tavini Huiraatira no te Ao Maohi

**Dear comrades and friends, Ia ora na!**

Fisrt of all, warmest greetings from Maohi Nui to Japanese People and to our friends from Zengakuren.

We express great solidarity on the occasion of the 61st International Antiwar Assemblies in Japan. Our solidarity with the Japanese people is guided by our common goal to reach a nuclear free and peaceful World.

As we all know, the Pacific Ocean has been where nuclear bombs have been fully developed, tested, like in the Marshall Islands and in Maohi Nui, and unfortunately has been used to kill people in Japan. With all the tensions in the world, humanity might soon face a nuclear world war.

A peaceful world could only be reached if imperialist countries stop colonialism or neocolonialism. It seems that these countries have not learn from their past history or other nation history. Today, it is clear that imperialist countries with their liberal economies have no other purpose than make use of other countries wealth and cheap labor in order to lead the world.

Even small Pacific island countries were and are not spared despite their poor wealth. Today, the small Pacific small countries are forced into the dispute between China and USA while France is trying to play a role in this dispute by getting favors from small island states. During the month of July 2023, The french president has been visiting Pacific states to promise France help. But there is no concession regarding the independence of Kanaky and Maohi-nui. France has full control on the economy of Kanaky and Maohi-Nui and decides which country is good to collaborate with.

People of Maohi Nui still seeks for their freedom like any other nation

under control by another nation. Paths to freedom are war or diplomacy. Only diplomacy applies to Maohi-Nui as promoted by the United Nations Organization. However, France has never accepted to sit at the table to discuss Maohi-Nui independence as proposed several times at the UN committee of 24. France forwarded the reason that the Tavini Huiraatira has not won the election. This year, the Tavini Huiraatira won the election and had the majority in our parliament. Would that change France position? We doubt it since loosing Maohi-Nui means for France a lost of half of its Economic Exclusive Zone! France grandeur is due to its occupied oversea territories where nuclear tests have been carried out. Maohi-nui people would never heal their wounds from the nuclear tests and France will never recognize the hurt and the pain.

Hegemony is not only achieved through the economic and financial sector but also by occupying other nation lands. Imperialist country which hegemony is under threat would never be at rest and would rather reduce our world into chaos. The Anti War movement is important to remind everyone of the terrifying consequences of a war and of the destructive power nuclear bombs which can annihilate our planet Earth.

With Solidarity! Faaitoito!

Keitapu Maamaatuaiahutapu, Heinui Le Caill and
Guillaune Colombani
Members of the Tavini Huiraatira

## **All Pakistan Federation of United Trade Unions** (APFUTU)

I am grateful to you for inviting us. All Pakistan Federation of United Trade Unions (APFUTU) appreciates your struggle and stands with you to promote peace efforts. We also fully support the demands that you are going to approve in the 2023 program. The world will become

a cradle of peace only with the joint efforts of all of us.

The All Pakistan Federation of United Trade Unions (APFUTU) also held massive protests across the country on May 28, 1998 over the nuclear test by the government of Pakistan and demanded that the government of Pakistan, instead of becoming a nuclear power, rid the country of poverty, unemployment and Practical work should be done on the elimination of social injustice. Undoubtedly, during the peace efforts, the leadership of All Pakistan Federation of United Trade Unions (APFUTU) faced serious cases and the assets of the federation were also seized and sold, but even today we are trying to promote peace efforts and We salute every struggle for peace, love and brotherhood in the world. No doubt you are also striving day and night for a great cause. We salute your courage and bravery.
Regards

Mr. Zia Syed
Secretary General

All Pakistan Federation of United Trade Unions (APFUTU)

## Union Pacifiste de France

Dear fellows,

The Union Pacifiste de France wish you a fruitful congress.

Your meetings are very important always, and particularly now in the world situation.

We try and work to stop war without conditions. We are against the russian government and so much against NATO.

We support the pacifists of all sides who refuse to participate to the war.

With our solidarity.
Maurice Montet,
Secretary Union Pacifiste de France

## International Socialist League

From the International Socialist League, we wish to send our heartfelt solidarity greeting to the 61st International Antiwar Assemblies. In these times of decadent crisis-ridden capitalism and growing inter-imperialist friction, the international solidarity and organization of workers and peoples against the imperialists' war plans is more important than ever.

The war in Ukraine is the sharpest expression of the growing inter-imperialist tension and highlights the challenges we face. In the first place, to defend the right to self-determination of the Ukrainian people against Russia's aggression, and also to confront the militarization and expansion plans of NATO and Western imperialism.

The struggle between the United States and China for world hegemony is leading us towards a growing confrontation that, in the event of a new world war between nuclear powers, threatens to end human life on the planet. Only the workers and peoples of the world can stop them.

We wish you the best of luck in your assemblies, which represent an important contribution to this gigantic task. We hope to meet in person soon and be able to develop an internationalist collaboration and contribute to the necessary unity of the workers of the world.

Fraternally, Alejandro Bodart, Sec. General of the MST in the FIT Unity of Argentina and Coordinator of the International Socialist League (ISL)

# 国際・国内の階級情勢と革命的左翼の闘いの記録（二〇二三年六月〜七月）

## 国際情勢

6・1　米上院が政府債務上限適用を25年1月まで延期する法案を可決。下院は前日に可決

6・2　アジア安全保障会議が開幕（シンガポール、〜4日）。米国防長官オースチンが対中国の軍事力強化と「対話の必要性」を強調。中国国防相・李尚福が「台湾への武力行使の放棄は約束しない」と演説

6・3　**台湾海峡で米艦に中国艦船が140メートルに接近**

6・4　ＯＰＥＣプラスが協調減産を24年末まで延長

▽**ウクライナ軍がドネツク州で大規模攻撃を開始**

6・6　**露がカホフカ・ダムを爆破し、大洪水が発生**

6・8　トランプが機密文書持ち出し容疑で起訴される

6・12　ＮＡＴＯが独で大規模空軍演習「エアディフェンダー23」(〜23日)。日本を含む25ヵ国250機が参加

▽習近平が国賓として招いたホンジュラス大統領カストロと会談、台湾との断交を「歴史的決断」と賞賛

▽米商務省が中国企業への禁輸を拡大、極超音速兵器開発事業体に照準

▽イラン大統領ライシがベネズエラを訪問し大統領マドゥロと会談、投資拡大など25の協定に署名

6・14　ＮＡＴＯが東京事務所をつくり、ここを拠点に日韓豪ＮＺと連携を強化する計画だと『日経』が報道

▽**習近平が訪中したパレスチナのアッバスと会談。イスラエルとの2国家共存の仲裁案3項目を提示**

▽独ショルツ政権が初の国家安全保障戦略を策定、国防費をＧＤＰ比2％に引き上げると明記

## 国内情勢

6・1　日本の海上保安庁が米・比の沿岸警備隊と比北部で初の海上合同訓練（〜7日）

6・2　**マイナカードと健康保険証を一体化するマイナンバー法改定案が参院で可決・成立**

▽厚労省が22年出生率1・26と発表、過去最低

6・3　シンガポールで日・米・豪・比が初の国防相会議、比の取り込みをはかる。日・米・豪の国防相会議で豪州でのＦ35の共同訓練を合意。日・中の国防相会談で浜田靖一は日本周辺での中・露連携に懸念を表明、中国側は台湾問題への「内政干渉」を非難。日・韓国防相会談、対北朝鮮の防衛協力で一致(4日)

6・6　4月の実質賃金が前年同月比3％減

6・7　**軍需産業強化法案が参院で可決・成立**

▽デジタル相・河野太郎がマイナンバー口座誤登録が家族・同居人13万件、別人748件と発表

6・9　改定入管法案が参院で可決・成立

6・14　岐阜市の陸上自衛隊射撃場で自衛官候補生が小銃を発砲、隊員2人死亡

6・16　**軍拡財源法案が参院で可決・成立**

▽「骨太の方針」を閣議決定。増税の実施時期を25年以降に先送り

▽立憲民主党提出の内閣不信任案を自・公・維新の会・国民民主党の反対で否決

▽日・米・比の安保担当政府高官による3ヵ国

## 革命的左翼の闘い

6・4　琉球大学学生会と沖縄国際大学学生自治会が「ミサイル配備を断念せよ！」集会（うるま市民の会主催、うるま市）に結集。陸自勝連分屯地ゲート前で労働者・市民340名の最先頭でたたかう

▽鹿児島大学共通教育学生自治会が「大軍拡・大増税ＮＯ！」集会（憲法壊すな・戦争法廃止！かごしまの会主催、鹿児島市）で「反安保」を訴え奮闘

6・6　首都圏のたたかう学生が「軍拡財源法・軍需産業強化法の制定阻止」の国会前闘争に決起。日共指導部の闘争放棄を弾劾し議員会館前で怒りのシュプレヒコール

6・7　首都圏のたたかう学生が「入管法改悪の強行採決に反対する緊急大集会」（諸団体主催、国会正門前）に労働者・市民４０００名とともに決起。「日本型ネオ・ファシズム支配体制の強化反対」の旗幟を鮮明にたたかう

▽琉大学生会と沖国大自治会が「防衛費財源法案と入管難民法改定案の廃案を求める抗議集会」（沖縄平和運動センター主催、那覇市）の最先頭でたたかう

6・16　プーチンが戦術核兵器のベラルーシ搬入を宣言

▽米海軍のトマホーク150発搭載可能な原潜「ミシガン」が韓国・釜山港に入港、5年ぶり

▽**南ア大統領ラマポーザらアフリカ7ヵ国首脳がキーウを訪問、ゼレンスキーと会談し独自の和平案提案。ラマポーザらがロシアを訪問しプーチンと会談、独自和平案を示したがプーチンは拒否**（17日）

6・18　米国務長官ブリンケンが訪中し（～19日）外相・秦剛、政治局委員・王毅、習近平と会談。バイデン政権の閣僚訪中は初。中国は軍事対話再開を拒否

6・21　イギリスとウクライナ共催のウクライナ復興会議（ロンドン、～22日）。61ヵ国、400社以上が参加

6・22　**バイデンがインド首相モディを国賓として招き首脳会談。**戦闘機エンジンの共同生産や宇宙・半導体技術での協力など58項目を盛りこんだ共同声明

6・23　**ロシア民間軍事会社ワグネルのプリゴジンが国防相ショイグらの更迭を求めて「正義の行進」を宣言。**24日にワグネル部隊はウクライナに隣接するロストフ州の露軍南部軍管区司令部を占拠。モスクワに向け進撃。プーチンが「裏切り者は処罰する」と演説。反乱部隊はモスクワまで200キロに迫ったところで「ベラルーシに出国すれば免罪」なる国家安全保障会議書記パトルシェフの提案を受け入れ撤退

6・26　プーチンが「進軍中止という正しい判断をおこなったワグネル司令官に感謝」と演説

6・27　パリ郊外で運転停止命令に従わなかった北アフリカ系少年を警官が射殺。抗議が暴動に発展、7月3日までに逮捕者3200人以上

6・28　ロシア軍副司令官スロビキンがワグネルの反乱

協議が初会合。中国への「対処力」強化で一致

6・20　海自の軽空母「いずも」と護衛艦「さみだれ」がベトナム・カムラン港に入港

6・22　5月の消費者物価指数が前年同月比3・2％上昇。プラスは21ヵ月連続

6・25　維新の会が次期衆院選で公明党現職がいる関西6選挙区に公認候補者をたてると発表

6・26　自公両党の選対委員長が東京を除く衆院選での協力内容を大筋合意

▽東京電力が福島第一原発の放射能汚染水の海洋放出施設が完成と発表、施設を公開

▽半導体素材大手JSRが産業革新投資機構による株式公開買い付けを受け入れると発表

▽日・米が「拡大核抑止協議」をアメリカの空軍基地で開催（～27日）

6・29　日・韓の閣僚級財務対話で通貨交換協定の再開を合意

▽マイナンバーカード使用の申請で新たな住民票誤交付が28日に発生と富士通が発表。利用する全自治体でシステムを停止

7・4　**首相・岸田文雄がIAEA事務局長グロッシから福島原発汚染水の海洋放出が「国際的な安全基準に合致」との報告書を受け取る**

7・5　自・公が武器輸出の規制緩和にむけ殺傷兵器も可能にする論点整理をまとめる

7・7　原子力規制委員会が東電に放射能汚染水放出設備の点検に合格との終了証を交付

▽在日米軍オスプレイの飛行訓練の高度制限を

6・10　わが同盟が軍拡財源法の参議院採決＝制定阻止を呼びかけ情宣（金沢市）

6・13　首都圏のたたかう学生が軍拡財源法案の参院財務委員会での採決阻止に決起。総がかり行動実行委呼びかけの「緊急行動」（国会前）を戦闘的に牽引

▽琉大学生会と沖国大自治会が軍拡財源法案の参院採決阻止に決起（那覇市）。自民党沖縄県連に怒りの拳

6・16　**全学連が軍拡財源法案の参院本会議強行採決阻止の国会前闘争に唯一決起。**この日の闘争を完全放棄した日共指導部を弾劾し国会議事堂に怒りのシュプレヒコール

▽全学連北海道地方共闘会議と反戦青年委員会が軍拡財源法案の参院採決阻止に起つ（札幌市）。自民党道連前で「日米グローバル同盟粉砕」の雄叫び

6・18、25　**全国各地で労学統一行動。反戦反安保・改憲阻止、ウクライナ反戦の火柱**

〈6・18〉全学連と反戦青年委員会が「日本の大軍拡阻止、〈プーチンの戦争〉粉砕」の声高く決起。白ヘル部隊がロシア大使館・国会・首相官邸へ進撃

・全学連関西共闘会議と反戦青年委が御堂筋を戦闘的デモで席巻（大阪市）

・全学連道共闘と反戦青年委が自民党

に関係したとして逮捕との報道相次ぐ
6・29 米連邦最高裁が大学入試選考で黒人や中南米系人民を一律優遇するのは違憲と判決
7・3 イスラエル軍がヨルダン川西岸の北部ジェニンを空爆、難民キャンプに地上部隊が突入。ハマスやイスラム聖戦が反撃、パレスチナ側の12人死亡
▽中国政府が米などの先端技術輸出規制に対抗しガリウムやゲルマニウムの輸出規制を発表
7・6 訪中した米財務長官イエレンが首相・李強らと会談(〜9日)、半導体の輸出規制を正当化しつつ他の通商関係では「ウィンウィン」を主張、中国は拒否
7・7 トルコを訪問したゼレンスキーに大統領エルドアンがウクライナのNATO加盟支持を表明
7・9 **バイデンとエルドアンが電話会談、スウェーデンのNATO加盟を認めたエルドアンにバイデンがF16供与を約束**
7・11 **NATO首脳会議がリトアニアの首都ビリニュスで開幕**(〜12日)、中国との対抗を鮮明に。スウェーデンの加盟を決定。ウクライナのNATO加盟は明示せず「ウクライナ理事会」の設置を確認。東京事務所設置問題は仏マクロンが反対し議題にせず
7・12 NATO首脳会議に参加したゼレンスキーが「領土を政治的地位や『紛争凍結』と交換せず」と会見
▽北朝鮮が固体燃料ICBM「火星18」を発射
7・14 印首相モディが訪仏しマクロンと会談、仏製戦闘機や潜水艦の購入を合意
7・15 TPPの閣僚級会合で英の加盟を承認(〜16日)
7・17 **ロシアがウクライナ穀物合意の停止を発表**

150メートルから60メートルへ緩和すると防衛省が発表
▽5月の実質賃金が前年同月比1・2%減、14ヵ月連続でマイナス
7・10 静岡地検が袴田事件再審公判で元死刑囚・袴田氏を「有罪立証」すると静岡地裁に通告
7・11 外務省が政府安全保障能力強化支援(OSA)を司る安全保障協力室を省内に設置
7・12 **岸田がNATO首脳会議に出席、NATOと「国別適合パートナーシップ計画」を締結。豪・韓・ニュージーランドと首脳会合**
▽東京五輪汚職公判で東京地裁が大手広告会社ADK前社長に有罪判決
▽主要食品メーカーが年内の値上げを発表した品目が3万点をこえる
7・13 日・EU首脳会談、対中国で軍事・経済の「戦略対話」を盛りこんだ共同声明を発表
▽自民党税調が軍拡のための法人税増税を24年に開始する決定を先送り
▽EUが福島原発事故いらい日本産食品にかけてきた輸入規制の撤廃を決定
7・14 宇宙航空研究開発機構(JAXA)の新型固体燃料ロケットエンジンの燃焼実験が失敗
7・16 岸田がサウジアラビア・UAE・カタールへ歴訪開始。サウジで「戦略対話」創設で合意
7・19 政府の個人情報保護委員会がマイナカード誤登録問題でデジタル庁に立入り検査
7・20 名古屋自動車学校訴訟で定年後再雇用の基本給減額は違法とした高裁判決を最高裁が破棄し差し戻す

道連へ進撃(札幌市)
・全学連東海地方共闘会議と名古屋地区反戦が栄で戦闘的デモを敢行(名古屋市)
〈6・25〉沖縄県学連と県反戦労働者委員会が国際通りをデモで進撃(那覇市)
6・18 福岡中央地区反戦青年委が佐賀空港へのオスプレイ配備阻止の現地闘争。陸自駐屯地(福岡県春日市)ゲート前でシュプレヒコール
6・19 反改憲東海学生ネットが「悪法のデパート 岸田政権はいらない!」集会(あいち総がかり行動主催、名古屋市)の先頭でたたかう。わが同盟が情宣
6・20 北海道のたたかう労学が「防衛財源確保法反対集会」(戦争をさせない北海道委員会主催、札幌市)に決起。わが同盟が情宣
6・27 鹿大共通教育自治会が大軍拡・改憲・増税反対、ウクライナ反戦を呼びかけ学内集会
6・28 国学院大学のたたかう学生が自治委員会で「ウクライナ侵略反対」の決議案を採択。革命的執行部を再確立
7・2 金沢大学共通教育学生自治会が大軍拡・改憲とロシアのウクライナ侵略に反対し香林坊をデモ(金沢市)。早

▽クリミア大橋がウクライナ無人水上艇の攻撃で損傷
7・18 **米弾道ミサイル搭載戦略原潜ケンタッキーが韓国の釜山港に寄港。尹錫悦が視察し演説**（19日）
▽米韓がソウルで「核協議グループ（ＮＣＧ）」の初会合
▽ロシア軍がウクライナの穀物輸出港オデーサの港湾施設や穀物倉庫を連日攻撃（～21日）
7・20 中露が日本海で合同演習（～23日）。艦艇10隻・航空機30機、中国軍機が初めて露飛行場から離陸
7・21 米豪合同演習「タリスマンセイバー23」を豪で開始。日英韓加など13ヵ国、約3万人参加の過去最大級
7・24 イスラエル国会がネタニヤフ政権提出の最高裁の権限を奪う法案を可決。野党は退席、数万人が抗議
▽王毅が訪問中の南アで露のパトルシェフと会談。「冷戦思考に反対」を確認
7・25 中国外相・秦剛が解任され前外相・王毅が就任
7・26 **西アフリカ・ニジェールで親露派の軍将校がクーデタ。親欧米の大統領バズムを拘束**
▽訪朝した露国防相ショイグとの会談で金正恩がロシアへの弾薬などの支援を協議、兵器展示会に招待
7・27 北朝鮮で朝鮮戦争休戦70年の軍事パレード。金正恩がショイグ、中共政治局委員・李鴻忠と共に観閲
▽**ロシア・アフリカ首脳会議**（サンクトペテルブルク、～28日）。プーチンが6ヵ国への穀物無償供与を表明するも、アフリカ連合議長国コモロの大統領はウクライナとの穀物輸出協議開始を要求
7・30 モスクワシティのビルを無人機が攻撃
7・31 米ジョージア州ボーグル原発3号機（ＷＨ製、ＡＰ１０００）が運転開始、米で革新軽水炉稼働は初

7・21 6月全国消費者物価上昇率が前年同月比3・3％、22ヵ月連続で上昇
7・23 **政府が先端半導体の製造装置など23品目を輸出規制対象に追加。対中輸出規制を強化**
7・24 『毎日』（24日付）世論調査で岸田内閣の支持率が内閣発足以来最低の28％に
7・25 岸田が防衛装備品輸出の制限緩和の検討を加速せよと自・公の作業チームに指示
7・26 1月1日現在の日本の人口が前年比80万人減。減少幅と割合は過去最大
7・28 23年版『防衛白書』を閣議了承。「戦後最大の試練」「防衛力の抜本的強化」を強調
▽中央最低賃金審議会が最低賃金引上げ額を全国平均41円と決定。最低賃金は１００２円に
▽日銀が金融緩和策で長期金利の上限の０・５％から１％への引き上げを容認
▽日本最古の老朽原発・高浜1号機が再稼働
7・29 外相・林芳正が印・スリランカ・モルディブを歴訪。スリランカでは中国からの債務返済問題を協議
▽中・露艦艇10隻が宗谷海峡通過と防衛省発表
7・30 沖縄・東京を除く電力8社の4―6月期連結決算が最高益に
7・31 防衛相・浜田が来日したサウジ国防相と会談、防衛協力強化で一致
▽22年度特別会計決算の剰余金が12・5兆円と財務省が発表、このうち軍拡の財源に約1・9兆円をあてる方針

稲田大学と名古屋大学のたたかう学生もともに決起
7・8 国学院大で学生総会。「厚生補導」の名による自治破壊反対、学費値下げ・無償化を訴える議案を採択
7・23 全学連が「日本の大軍拡・改憲阻止」の対首相官邸闘争に決起。「日米グローバル同盟粉砕！」「福島原発汚染水の海洋放出反対！」の声を叩きつける
▽全学連が「ロシアのウクライナ侵略粉砕」を掲げロシア大使館前闘争。「ロシア人民はＦＳＢ強権型支配体制打倒に起て」の横断幕を突きつける
7・26 全学連関西共闘が「〈プーチンの戦争〉粉砕！」を掲げ在大阪ロシア総領事館にたいする抗議闘争（豊中市）。オデーサへのミサイル攻撃を弾劾。大阪市天王寺で情宣

## 『新世紀』バックナンバー

**No.326** 2023年9月

**ワグネルの反乱 揺らぐロシア支配体制**

ネオ・ファシズム政権打倒／反戦反安保・改憲阻止／反動諸法制定弾劾／岸田「新しい資本主義」／DXと大失業／生成AI／コロナ「五類」／海外への反戦アピール／日共の四分五裂／JP低額妥結を否決せよ／トヨタサプライチェーン

**No.325** 2023年7月

**憲法改悪・大軍拡阻止に起て**

G7サミット反対【新入生は今こそ起て／ウクライナ侵略反対Q&A】ウクライナの左翼と連帯／改憲阻止・プーチンの戦争粉砕【特集23春闘】『連合白書』批判／「全労連」指導部弾劾／私鉄・トヨタ・JAM・NTT・出版・郵政

**No.324** 2023年5月

**ウクライナ反戦、大軍拡阻止に起て**

〈プーチンの戦争〉粉砕／「大祖国戦争」神話／改憲・大軍拡阻止／分断と荒廃のアメリカ／大幅一律賃上げ獲得／反戦反安保の闘いを／自動車春闘／電機春闘／原発運転期間延長／日本のエネルギー安保／汚染水放出／40年廃炉の破綻

**No.323** 2023年3月

**戦争の時代を革命の世紀へ**

世界大戦の危機を突破せよ／全世界からメッセージ／政治集会特別報告／「安保三文書」弾劾／「リスキリング」／現代世界経済／中共第20回党大会／ウクライナ軍・人民の戦い／「神戸事件」／反革命＝北井一味を粉砕せよ（第七―八回）

新 世 紀 第327号（隔月刊）

日本革命的共産主義者同盟 革命的マルクス主義派 機関誌©

発行日 2023年10月10日

発行所 解 放 社

〒162-0041 東京都新宿区早稲田鶴巻町525-3

電話 03-3207-1261 振替 00190-6-742836

URL http://www.jrcl.org/

発売元 有限会社 K K 書 房

〒162-0041 東京都新宿区早稲田鶴巻町525-5-101

電話 03-5292-1210 振替 00180-7-146431

URL http://www.kk-shobo.co.jp/

ISBN 978-4-89989-327-1 C0030

落丁・乱丁本はおとりかえいたします。